すぐに使える！

「感じのいい女性」が使っている 気遣いの魔法

三上 ナナエ

PHP

はじめに

拙著をお手にとっていただき、ありがとうございます。

私は、コミュニケーションにかかわる仕事をしている立場ではありながら、実は人見知りで、自分からグイグイ人に声をかけて積極的に人間関係をつくっていくタイプではありません。小中学校時代は、父の転勤で九州から北海道までさまざまな場所に住み、転校も幾度となく経験しました。慣れない土地で馴染んで生活し、友だちをつくるにはどうしたらいいのかな……と子どもながらに悩み、考えていたことを思い出します。いま振り返ってみるとではありますが、コミュニケーションや人間関係に興味を持った原点なのかもしれません。

大人になってからも、基本的には内向的な性質は変わっていません。しかし、かかわる人とうまくやっていきたい、という気持ちはあります。特に社会に出ると自分の好き嫌いでおつき合いを選べない場面も増えていきますので、いい印象を持ってもらいたいな、嫌われたくないな、とがんばって振舞っていたように思います。

ただ自分がよく見られたい、好かれたいという目的でがんばってしまうと、ちょっ

りました。

かりしたり。自分の本当の思い、意見は隠して無理に合わせて疲れてしまうこともあと違和感を覚えたり、空回りしたり、その結果、思ったような反応を得られず、がっ

そんな反動から、思い切って自分の思った通りに言ってみよう！　とやってみたこともありました。ある集まりに誘われ、一度行ったあと、次は行きたくないと断る際、「この前行ってみたけど、自分には合わない場だと思ったから遠慮します」と言ってしまいました。するとその人から返事はもちろん、二度と連絡が来ることはありませんでした。後味も悪く、逆の立場だったら自分の大事に思っている仲間、価値観を否定されてショックだったに違いありません……。断るにしても、相手を尊重した言い方がもっとあったはず、といまでも後悔しています。

どうしたらいいのかな？　と悩んでいたところ、仕事の先輩でとても感じがよく、誰からも好かれる、でも無理をしているようには感じないAさんに、思い切って聞いてみました。「どうしたらAさんのようになれるのでしょう」と。Aさんは「最初は感じいいと思った人を観察して、真似してみるといいよ」と教えてくれました。

まずは素直にやってみようと思い、仕事でもプライベートでもさまざまな出会いの

なかで「あっ！　何だか感じいいな、言葉に思いやりがあるな」という人に会ったら、その人のあいさつ、話している内容、言い方、表情、立ち居振舞いなどを気にしてみました。興味を持って観察し始めると、共通点があることもわかってきました。

実際に真似してみると、自分自身がしていて気持ちがよく、爽やかで前向きな気分にもなっていきます。そして、それが確かに周りの人にもいい影響をもたらすことを実感してきました。しかもその一つひとつは、そんなに難しいことではなく、ちょっとしたことだったりするのが大きな気づきでした。しかしそうは言っても、ちょっとしたことが、頭ではわかってはいても意外にできないものだとも感じます。

本書では、誰にでもすぐにできる、感じのいい女性になれるヒントを、さまざまなシチュエーションを通して紹介しています。ほんの小さな習慣の積み重ねが大きな差となり、いままでと違う何かをもたらしてくれると思います。

「小さなことを、具体的に、気長に」

そうやって、一つひとつ、人から好かれる、感じがいいと思われる習慣をつくっていきませんか。

三上ナナエ

目次　すぐに使える！「感じのいい女性」が使っている気遣いの魔法

はじめに――2

第1章　「感じのいい女性」「感じの悪い女性」その違いはどこにある？

「感じのいい人」には心がけ次第でなれる！――12
「感じが悪い」と思われてしまう人の残念な失敗――16
「感じのいい人」は「気遣い上手」――20
気遣いのプロ！　客室乗務員が感じのいい理由――24
「気遣い」ができると自己肯定感が高まる――28
相手のタイプに合わせて声をかける――32
初対面では相手の気持ちに寄り添って――36
苦手な相手にはコミュニケーションスタイルを合わせる――40

COLUMN こんなときどうする!? 会話でのちょっとした気遣いQ&A——42

第2章 「感じのいい女性」が実践している一枚うわての気遣い

実践しよう! 気遣い上手になるための5つの心構え——44

あいさつをする

CASE 1 初めて会う人へ声をかける——50
CASE 2 引っ越し先でご近所にあいさつ——52
CASE 3 ご近所の人に会ったとき——54
CASE 4 ママ友にお礼を伝えたい——56
CASE 5 子どもの担任の先生にあいさつ——58
CASE 6 夫の会社のイベントに——60
CASE 7 親戚と久しぶりに会う——62

CASE 8 旧交をあたためる――64
CASE 9 別れ際の印象的なあいさつ――66
「あいさつをする」気遣いポイント――68

話をする

CASE 10 職場の飲み会で場をなごませる――70
CASE 11 趣味サークルでの会話のきっかけ――72
CASE 12 親しくない人との会話のすすめ方――74
CASE 13 相手が心地よく思うほめ言葉――76
CASE 14 夫に普段の感謝の気持ちを伝える――78
CASE 15 仕事のシフト交代をお願いする――80
CASE 16 迷惑をかけたことを詫びる――82
CASE 17 遅刻をして謝らない相手にひと言伝えたい――84
CASE 18 同じ失敗を繰り返す相手に注意する――86
「話をする」気遣いポイント――88

◆話を聞く

CASE 19 友人の夫に対する悩みを聞く――90
CASE 20 不安に思っている相手を励ます――92
CASE 21 苦情を受けたときのお詫び――94
CASE 22 相手が話しやすくなるあいづち――96
CASE 23 人数の多い集まりで話を聞く――98
CASE 24 距離を縮めたい相手と親しくなる――100
CASE 25 悪口や噂話を聞いたときのかわし方――102
CASE 26 新しい仕事を引き受ける――104
CASE 27 ちょっとしたお願いを断る――106
CASE 28 「子どもをあずかって」と頼まれた――108
CASE 29 しきりに商品をすすめてくる――110
CASE 30 ご近所から騒音の苦情が入る――112
「話を聞く」気遣いポイント――114

◆SNSへの対応
CASE 31 LINEグループの会話を切り上げる——116
CASE 32 食事会の写真をアップしたい——118
CASE 33 グループを退出したい——120
CASE 34 SNSのアカウントを教えたくない——122
CASE 35 オフ会のお誘いを断りたい——124
「SNSへの対応」気遣いポイント——126

◆冠婚葬祭などの場で
CASE 36 結婚式に招待されたとき——128
CASE 37 大切な人が出産したとき——130
CASE 38 お礼やお祝いの品を贈るとき——132
CASE 39 身近な人に不幸があったとき——134
CASE 40 病院にお見舞いに行くとき——136
「冠婚葬祭などの場で」気遣いポイント——138

第3章

知っていれば、さらに感じがよくなる気遣い豆知識

人と会う前にしておきたい準備――140
身だしなみで心がけたいこと――142
「感じがいい」と思われる表情――144
気をつけたい立ち居振舞い――146
自分では気づきにくい「におい」の注意点――148
気持ちが伝わるお辞儀の作法――150
ちょっとした約束を守る――152
場の空気を読む――154
質問の質を高める――156

おわりに――158

装幀　岡西幸平（カンカク）
装画・本文イラスト　小関恵子
本文デザイン・組版　朝日メディアインターナショナル株式会社
編集協力　円谷直子

第1章

「感じのいい女性」
「感じの悪い女性」
その違いはどこにある？

「感じのいい人」には心がけ次第でなれる！

ほんのちょっとした気遣いで印象が変わる

最近、地域のスポーツサークルに通っています。最初は、知らない人ばかりで緊張していたのですが、初対面の私にきちんとあいさつをしてくれたり、名前を覚えようとしてくれる人がいたおかげで、ホッとしました。

なかには「ななちゃん！」と呼んでくれる人もいました。そんな呼び方は、子どものころに戻ったみたいでなつかしく、緊張していた自分が解放されたような気がしました。名前を呼んでもらえるだけで、「感じのいい人がいてよかった！」「ここにきてよかったな」「楽しそうなサークルだな」という気持ちになりました。

本当にちょっとしたことで、その場の印象って変わるものですね。

みなさんは、どんなときに相手のことを「感じがいいな」と思いますか。きっと、次のようなことのできる人ではないでしょうか。

１　笑顔で接してくれる人　表情がかたいと、こわそうな人だ、という印象になります。笑顔で接してくれると、「歓迎してくれているな」とうれしくなります。

２　お礼や感謝の言葉が言える人　「ありがとう」「今日誘ってもらってうれしかった」「楽しかった」のような、ちょっとしたお礼やひと言があると、さらにこの人のために何かしてあげたいと思います。

３　誰にでもあいさつをしてくれる人　誰かにはして誰かにはしないではなく、誰にでも平等にあいさつできる人は感じがよいですね。

４　アイコンタクトをとってくれる人　初めての場はとくにそうですが、アイコンタクトをとってくれると、「仲間に入れてくれている」という安心感が生まれます。

どれもちょっとしたことですが、**感じのいい人とは、相手がうれしいと感じる「ちょっとした気遣い」**ができる人と言うことができるのではないでしょうか。

気遣いというと「え、ハードルが高いな」と感じるかもしれません。

しかし、**上手な気遣いの仕方は、特別な人に備わっているものではありません。ちょっとした心がけで、いくらでも身につけることができる**ので、どうぞご安心ください。本書で、感じのいい人の気遣いがどういうものなのか、少しずつ身につけましょう。

「感じのいい人」の周りには、人や情報が集まってくる

「感じのいい人だな！」と思われると、いろいろなよいことがあります。

「こういう集まりがあるよ」「こういうお仕事があるよ」「こういう人がいるよ」「こういう話があるよ」と、人と情報がたくさん集まってくるのです。選択肢が増えるので、自然にチャンスも広がります。

そして**ピンチのときには、必ず誰かが手を差し伸べてくれます。**

逆に「感じが悪い人だな」……と思われたらどうでしょう。

「最近、ママ友のお誘いが減った」「私にだけ子ども会の情報がまわってこないことがあった」……なんてことがあったら要注意です。もしかすると、あなたは周囲に感じが悪い人と思われている可能性があります。

「感じがいい」と思われる人

POINT

- 笑顔で接する
- お礼や感謝の言葉が言える
- 誰にでもあいさつをする
- アイコンタクトをとる

「感じが悪い」と思われてしまう人の残念な失敗

気遣いのちょっとしたひと言を忘れない

大人になると、仕事以外では、滅多に他人に注意されることはありません。ちょっとくらいのことでは、誰も指摘してはくれません。だから、直しようもなく、「感じが悪い」と思われている人はずっとそのままということもあるかもしれません。

こわいことに、陰でママ友たちに、「どうする？　誘うのやめておこうか」「この情報、○○さんには教えてあげなくてもいいよね」なんて言われているかもしれません。いったん「感じが悪い人だな」と思われると、知らない間に、人も情報も集まってこなくなってしまうのです。

たとえば、こんな失敗をしがちではないですか？

・**気遣いのひと言を忘れる**　あいさつやお礼、謝罪のひと言がないと、「あの人は感じが悪いな」ということになってしまいます。ちょっとした遅刻でも、「すみません」のひと言があるのとないのとでは、相手に与える印象は大違い。また、自分がお金を支払う立場になると、とたんに謝れない人もいます。タクシー、電車、レストランのような公共の場では、その人の本性が出やすくなります。駅のトイレで掃除をしている人にも、「いま大丈夫ですか?」のひと言があるのとないのとでは、印象はまったく違うでしょう。

・**裏表のある態度をとってしまう**　あるとき、一緒にエレベーターに乗り合わせた人が「今日、早く終わるといいね」と話しているのを耳にしました。実は、私の取材できていたカメラマンだったのです。私が取材対象者だと知らずに話していたのですね。現場ではいい顔をしていても、別な場で違うことを言っていては、信頼が損なわれてしまいます。

感じの悪い振舞いは、誰かに見られている

とくに会社員だと、社章をつけているので、社外でもどこの人かわかってしまいま

す。それで会社にクレームが入ることも。感じの悪い振舞いは、どこで誰に見られているのかわからないのです。

そして、その振舞いが周りの人に広まる可能性は大と思ってください。

たった一度、お礼のひと言がなかっただけで、「何の言葉もなくてがっかりした」「だから紹介するのはちょっとね」と言われるなどして、どんどん拡散してしまうのがこわいところです。

あなたには悪気なんてないのに……です。

あなたの振舞いは、直接コミュニケーションしている相手だけではなく、その周りにいる人にも見られています。ですから「この場ではあいさつしなくてもいいよね」「この人には気を遣う必要はないでしょう」と取捨選択しないことが大切です。とたんに「感じが悪い人」だと思われてしまいます。感じが悪いと、「一緒に仕事をするのがいやだな」「協力したくないな」と思われてしまいます。お礼や気遣いができない人には、信用や信頼が寄せられません。

でも、「ちょっとした気遣い」ができれば、その印象は覆せます。では、気遣い上手になるにはどうしたらいいのでしょう。20ページから紹介していきます。

「感じが悪い」と思われる人の失敗

・気遣いのひと言を忘れる

・裏表のある態度をとる

「感じのいい人」は「気遣い上手」

相手をよく観察して気持ちを察する

「気遣い上手」になるには、目の前の相手をよく観察して、相手の気持ちを察することが大切です。そして、どれだけ早くアクションを起こせるかです。

気遣いというと、「おせっかいかな？」「迷惑かな？」と躊躇《ちゅうちょ》してしまう人も多いでしょう。でも、迷ったらやってみる！　心のなかで思っているだけでは、相手に伝わりません。せっかく、気づいているならアクションしないともったいないですね。

拙著『仕事も人間関係もうまくいく「気遣い」のキホン』（すばる舎）でも紹介した、高知龍馬空港の日本料理店の店員さんの話です。ひとりの男性が、奥さんの写真を眺めながら食事をしていました。注文は瓶ビールとお寿司、そしてグラスは２つ。

店員さんは、そっと奥さんのぶんの小皿とお箸も出してあげたのです。その後、男性からお店にお礼の手紙が届き、新聞にも取り上げられたことで、感動的な話として広まりました。店員さんがしたことは、小皿とお箸を出しただけ。ちょっとした勇気が、大きな感動を呼びました。

「相手をいやな気分にさせたらどうしよう」「変に思われたらどうしよう」と思って、なかなか一歩を踏み出せない人も多いでしょう。でも、とにかく、まずは相手に玉をたくさん投げて、返ってきたものに磨きをかけていきましょう。**失敗してみないと、気づかなかったり、磨けなかったりする部分もあります**から。

たとえ、相手にとって的外れだとしても、そんなに失礼なことではないはずです。「ありがたいね」「気にしてもらえているんだな」と、好意的に感じる人のほうが多いと思います。

「気遣いは他人のためならず」

誰でも、毎日のなかで、一歩踏み込んだ気遣いはできます。

私の話ですが、先日、宅配便の人がすごく汗をかいていたので、冷えたペットボトル飲料をあげたら、とても喜んでくれました。そのうれしそうな顔を見たら、私までうれしくなってしまいました。

駅で困っている外国人に話しかけてみるのもいいかもしれません。「誰かが助けるよね」「私でなくても大丈夫だよね」「駅員さんに聞くよね」と、その場を離れがちですが、話しかけられない自分をもどかしく思ってしまうかもしれません。そんなとき、勇気を出して声をかけると、あとからとっても気持ちがいいものです。

結局はまわりまわって自分のため。「気遣いは他人のためならず」です。

その行動の積み重ねが自分の自信になっていきます。他人への気遣いって、気がきいて余裕があって、自分に自信のある人がするものだと思っていないですか？　いえいえ、気遣いは自分に自信をつけるためにするのです。自信がついたら、もっと気遣いしてみたくなります。一歩踏み出すことで、世界ががらっと変わるはずです。

「気遣い上手」への近道

POINT

- 相手をよく観察して気持ちを察する
- 失敗して気づいたことを大切にする
- ちょっと勇気を出して声をかけてみる

気遣いのプロ！客室乗務員が感じのいい理由

笑顔と身だしなみを大切にする

「ＣＡ（客室乗務員）って感じのいい人が多い」と言っていただけることがあります。サービス業のイメージが強いからかもしれません。私は元ＣＡだったのでとてもうれしいお言葉ではあるのですが、ＣＡは、実は保安要員。お客様のなかには、飛行機に乗ること自体、「こわい！」とストレスに感じている方が多いのです。そういうお客様に、飛行機は安全で安心なんだ、ということを伝えるのがＣＡの第一の仕事です。そのために、気遣いを徹底しているのです。

たとえば笑顔。**笑顔は、相手をリラックスさせます。**ＣＡが眉間にシワを寄せていたら、お客様を不安にさせてしまいます。いくら忙しくて裏でてんてこ舞いでも、お客様の前に出るときは、口角を横に伸ばします。そうすると、眉間のシワも伸びるのです。そうやって顔を整えてから、表に出るようにしていました。

身だしなみも大切な要素のひとつ。どの仕事でもそうですが、その職場の雰囲気やイメージに合うように、**相手に違和感を抱かせないことが大切です。**ＣＡはとくに控えめが求められました。

ＣＡ時代は飛行機を降りたあと、地上での振舞いにも気を配っていました。「大きな航空機トラブルがあったのに、空港のなかを笑顔で歩いていた」「モノレールで席をゆずっていなかった」など、地上でも振舞いを見られているためです。きちんとしていて当たり前、親切で当たり前を常に求められる仕事でした。

仕事の重圧はかなりあって、ＣＡをやめて20年以上経ちますが、いまだに緊急事態が起きて訓練通りに対処する夢を見ることがあるくらいです。

ＣＡで培ったおもてなしがいまの仕事に

お客様にとって、空の旅は初めてかもしれない。そういうお客様の気持ちに寄り添って、何かしてあげたいという気持ちはＣＡの誰もが強く抱いています。

同僚は、お子さんがひとりで飛行機に乗っていたら、機内にある飛行機のハガキに

「飛行機のなかでとってもよい子でした」と書いてあげたり、遺影を持っているお客様がいたら「そちらのお客様にもお飲物はいかがですか」とうかがってみたり……。お客様にはもちろんですが、元気のない同僚にも、声をかけあっていました。「何かあった？」「いつもと違うね」と声をかけられると、話すきっかけになり、「お客様の前でこんな表情をしていたらダメだ」と気づくこともありました。

いまの時代はプライバシーの問題もあって、あまり突っ込んだ話をしないことが多いかもしれませんが、当時はいい意味でおせっかい文化でした。

「この仕事、向いてないな……」と落ち込むことも何度もありましたが、先輩に「三上さん、最近表情変わってきたよ」と言ってもらえると、「ちゃんと見ていてくれたんだ」「ここにいてもいいんだ」と、うれしくなったことを覚えています。先輩からの気遣いのひと言です。

先輩や同僚と接しているうちに、困っている人に声をかけるのを躊躇しなくなりました。それがいまの仕事につながっています。ＣＡで培ったことが、人への配慮や、気遣うということに役立っていると思います。

ＣＡに学ぶ気遣い

POINT

- 笑顔で相手をリラックスさせる
- 身だしなみで相手に違和感を抱かせない
- 相手の気持ちに寄り添って声をかける

「気遣い」ができると自己肯定感が高まる

「気遣い」が「気疲れ」にならないように

ＣＡの訓練生時代、私はテストに合格すればいいのだと思っていました。居残りさせられた項目にやっと合格して大喜びしたときに、教官にものすごく怒られました。「合格するためではなく、お客様の命を救うためにやっているんですよ」と。本当にそうだなと、恥ずかしくなったのを覚えています。

気遣いも同じだと思います。

別に**誰かに評価されたいからといって、気遣いするわけではない**からです。

私も最初は、他人や会社に評価されたいからと、一所懸命に気遣いを心がけていました。気遣いができれば感じのいい人と思われて、会社の評価があがったり、人を紹介してもらえたりと、いいことがたくさんあるからです。

しかし、だんだんと「気遣い」が「気疲れ」になっていってしまいました。**評価を期待してやっていると「こんなにしているのに、なんで誰も評価してくれないの」と疲れてきてしまうのです。**

気遣いに見返りを期待しないで

最近、クリーニング屋さんに行ったときに、声をかけてもらいとてもうれしかったことがありました。「お仕事なんですか？」「よいお天気ですね」「お忙しいですか？」……。どれも気遣いのひと言だと思うのですが、利害関係がない人と話したので、とてもいやされたのでしょう。

これがビジネスで結果を出すことだけが目的になると、気に入られようと無理をしたり、せっかくがんばって気遣いしたのに、とがっかりしてしまいます。

そういう気遣いは、自分にも相手にもストレスになります。誰に評価されなくても、お天道様《てんとさま》は見てくれているくらいの気持ちがいいかもしれません。**自分自身を認**

めることができれば、他人にふりまわされなくなります。

気遣いは、「自分を抑えて相手を優先すること」ととらえている人も多いでしょう。しかし、そうではなく、自分のために、自分自身のためにやっているんだと思うことにしませんか。**まわりまわって、自分に返ってくるんだと思えば、気遣いも苦にならなくなります。**

ゴミが落ちていたら拾います。でも誰かが見ているから拾うのではなく、誰も見ていなくても拾える人は素敵です。そんな自分に、もうひとりの自分が「いいんじゃない！」と、ＯＫサインを出してやればいいのです。

気遣いができることで、自分自身を肯定する気持ち（自己肯定感）が高まります。「こういうことができてよかった！」「自分はこれでいいんだ」と、自分に自信がついてきます。

それによってチャンスが増えるのは、実はおまけみたいなものなのです。

「気遣い」が「気疲れ」にならないヒント

POINT

- 誰かに評価されるために気遣いするわけではない
- 気遣いは、まわりまわって、自分に返ってくると思う
- 気遣いができることで自己肯定感が高まる

相手のタイプに合わせて声をかける

相手の表情や声の調子を確認する

「積極的に声をかけてみる！」と言っても、まずは相手の気持ちを察するために相手をよく観察することが大切です。相手の言葉の意味だけではなく、表情や声の調子などを確認しながら、声がけするようにしましょう。

私の場合、「相手のために」という気持ちが強すぎて、かえって相手の負担になってしまうことが多くありました。

たとえば、いくらあいさつが大切でも、やみくもに元気にあいさつすればいいわけでもありません。もし、相手が喪服を着ていて、明らかに葬儀帰りの人だったら、静かなあいさつをしたほうがよいでしょう。

また、相手のためにアドバイスをするときも、相手が求めているかどうかはわかりません。そういうときは、「私のやり方なんだけど、伝えていいかな」と、許可を得てからアドバイスするといいと思います。感情は顔に出ますから、そういうときは相手の表情もじっくり観察しましょう。居心地が悪そうだったり、困ったふうだったりしたら、やりすぎの可能性があります。

信頼のおける人に、「ここまでしてみてもいいかな？」と、事前に聞いてみるのもいいかもしれません。

相手がどんなタイプかを知って使い分ける

人には大きくわけて４つのタイプがあります。

どうしても自分の気遣いが伝わらない、コミュニケーションがうまくいかないなと思ったら、相手がどのタイプにあてはまるのかを考えてみるといいでしょう。

投げる球を変えると、コミュニケーションがスムーズにいくようになるかもしれません。

1　親分タイプの人

礼儀やマナーを重視するので、お腹に力を入れてしっかりあいさつをするのが肝心。指導することが好きなので、**「教えてください」「ぜひ聞きたいです」と積極的な姿勢を見せると、**かわいがられます。

2　分析タイプ

感情が表に出づらいのが特徴。警戒心が強いので、少しずつ距離を縮めること。相手の得意分野を中心に話すとよいでしょう。**何か説明するときは、理由を明確にして**話をすることが大事。

3　好奇心旺盛タイプ

話好きでノリがよいタイプ。「すごい！」「さすが！」と、ほめられるのも大好き。ひらめき派なので、だらだらとした説明は苦手。**要点をしぼってテンポよく楽しく話**をするとよいでしょう。

4　縁の下の力持ちタイプ

聞き上手のお母さんタイプ。みんなのサポートにまわってくれているので、お礼を伝えること。無理をしているようであれば、「手伝うね」と声をかけましょう。

相手のタイプに合わせた気遣いをする

1　親分タイプの人

礼儀やマナーを重視
大きめの声ではっきり話す

2　分析タイプ

感情が表に出づらい
理由を明確に

3　好奇心旺盛タイプ

話好きでノリがよい
テンポよく楽しく話す

4　縁の下の力持ちタイプ

聞き上手のお母さんタイプ
こまめにお礼を伝える

初対面では相手の気持ちに寄り添って

相手を不安にさせないことを第一に考える

初めて会う人には、ついつい好かれようと力が入ってしまいます。それよりもむしろ、**相手を不安にさせないことを第一に考えましょう。自分の気持ちを押し出すようにするよりも、相手の気持ちに寄り添うと安心感を与えられます。**

1 あいさつは高めの声で　第一声は、高めにいかないと元気がなく聞こえてしまいます。元気がないと、「この場が負担なのかな」「不機嫌なのかな」と思わせてしまうかもしれません。**地声より高めで、ドレミファソの「ソ」の高さくらいであいさつしてみましょう。おでこのあたりから声を出すようにする**と前向きな気持ちが伝わります。

2 あいさつにプラスアルファ 深い話でなくてもいいのです。ちょっとしたお天気の話で十分。**「コミュニケーションをとる気があります」という気持ちを発信できればいいからです。**「お天気の話ってわざとらしくないですか？」と聞かれます。でも、お天気の話は情報交換ではなく、感情を交換するのが目的。相手も軽い話ならさらっと流せるし、そこから話を広げることもできます。秘書のなかには、お客様を応接室に案内するまでの話の小ネタに、天気を詳しく調べているという方もいるほど。

3 目を見て話す 相手の目を見ることは大切ですが、**凝視し続けると相手が話しづらくなるので、見続けるのは5秒以内で。**たとえば**鼻を見ていると、相手はなんとなく鼻に視線を感じるそうなので、眉毛のあたりを見るとよいでしょう。**視線をそらすときは、上に向けると集中していないように感じるので、のどのあたりに向けます。目を見て話すのが苦手な人もいると思いますが、それでは「コミュニケーションが苦手なんだな」「話しかけるのは悪いかな」と相手に思わせてしまうかも。距離を感じさせてしまうこともあるので、眉毛を見るなどしてがんばってみましょう。

4　口元と目元を引き締める　セミナーや講演で会場を見渡すと、口元を重力に任せてしまっている人が7割近くいます。口元がだらんとして、目に生気がないと「早く終わらないかなあ」「私には関係ない話だな」と思っていると誤解されてしまいます。初対面でこんな様子では、「私の話を聞く気がないのかしら。失礼だわ」と思われてしまうかも。**口を軽く閉じて、口角を横にきゅっと引くだけで目力が出ます。**口元と目元がキリッとすると、「前向きにここにいてくれているんだな」と伝わります。

後日でも気づいたときにフォローのひと言を

初対面のときは緊張していて、顔がこわばってしまったり、あいさつがうまく言えなかったりすることもあるかもしれません。

そんなときは、あとからでもいいので、メールやLINEでお詫びの気持ちを伝えておけば問題ありません。「緊張してしまって上手にごあいさつできずにすみません」と伝えれば、「なんだ、私のせいじゃないのね」と、相手の不安が消えます。

あなたの一つひとつの振舞いが、相手を安心させたり、不安にさせたりするのです。感じのいい人は、相手に安心感を与えられる人です。

初対面の相手の気持ちに寄り添う

POINT

- あいさつは地声より高めで
- あいさつにプラスアルファの気遣いの話を
- 目を見て話す。眉毛のあたりを見る
- 口元と目元を引き締める

苦手な相手にはコミュニケーションスタイルを合わせる

相手のいやがることを考えてみる

「みんなに好かれたい！」と思う人は多いと思います。

正直、苦手な人にまで気に入られようとは思わなくていいと、私は思います。ただ、仕事や子どものことで会わざるをえない関係なら、上手につき合っていきたいですよね。そんなときには、相手のコミュニケーションスタイルを少し真似すると、うまくいきます。

まずは相手のいやがることを考えてみましょう。

「私が遠まわしな言い方をしたから、相手をイライラさせちゃったんだな」とわかったら、「わかりにくくてごめんね。結論から言うね」と言えば、コミュニケーションがスムーズになります。

はっきり言う人には、こちらもはっきりと伝える。声が大きい人には、こちらも声を大きく。理屈っぽい人には理由や背景をきちんと説明する。

そうやって相手に合わせていくと、相手のストレスが減るので、こちらにも攻撃的でなくなります。

もし、あなたに苦手な人がいるのなら、自分のコミュニケーションスタイルを点検してみましょう。

苦手な相手ほど積極的に話しかける

そして、苦手だと感じる相手ほど、勇気を出して、積極的に話しかけるようにしましょう。

苦手意識は相手に必ず伝わるものです。

相手も、こちらを苦手だなと思うようになります。

勇気を出して接していくうちに、打ち解けたいという気持ちが相手に伝わります。

まずは自分から一歩踏み出すことも、相手への気遣いです。

COLUMN

こんなときどうする!?

会話でのちょっとした気遣い Q&A

Q 花粉症でマスクをしているとき、そのままあいさつしても大丈夫？

A コミュニケーションの基本は、相手に不安感を抱かせないこと。マスクで口元が隠れていると、表情がわからなくて、相手が不安を覚えます。今後のおつき合いにも影響があるかもしれません。あいさつのときには、一瞬でもいいのでマスクをとって、「花粉症がひどくて、マスクをしたままで失礼します」などと、ひと言添えましょう。

Q 新入りのパートさんと上手に接するには？

A 慣れない場では、自分の居場所があるとホッとします。相手を透明人間のように扱わず、「ごめんね、わからない話で」とか「あなたはどう？」と話をふってあげましょう。注意やお願いをするときには言い方に工夫を。「ここの鍵、閉めないとダメよ！」と新入りパートさんのミスと決めつける言い方ではなく、「閉め忘れがあったみたいなのよね。お互い気をつけようね」なら、やわらかい印象です。

第2章

「感じのいい女性」が実践している一枚うわての気遣い

実践しよう！
気遣い上手になるための5つの心構え

能力が高くても気遣いができないと感じが悪い人に

そんなにテキパキしていなくても、それほど仕事ができなくても、笑顔がよかったり、あいさつやお礼などの気遣いができたりする人は、「感じがいい人だな」「素敵な人だな」「また会いたいな」と思わせるものです。

でも、ちょっとした気遣いができないと、せっかくやり手で能力が高くても、「まただぜひ会いたい」とは思ってもらいにくいものです。

その気遣いができるかできないかのちょっとした差で、「もうお願いするのはやめよう」「これからは声をかけるのをやめよう」となったら、もったいないですね。

ぜひ、この章で紹介するシチュエーション別の対応を読み比べてみて、気遣い上手をめざしましょう。まずは、気遣い上手になるための心構えを5つあげてみました。

あわせて参考にしてください。

①　相手の表情をよく観察する

相手の気持ちを察するためには相手をよく観察することが必要です。**相手が発した言葉の意味だけではなく、声のトーンや話す態度、視線の動かし方などから気持ちを読み取りましょう。**相手の表情を確認しながら話して、微妙な違和感に気づいたら、「何か気になることがあれば遠慮なくおっしゃってください」といった気遣いのひと言を。

②　聞き役になる

聞く側にまわると、観察力が高まります。**聞き役になっていると、それまで気づかなかった相手の表情や感情の変化を敏感に感じることができるようになります。**一所懸命に話を聞いてくれるあなたのことを、相手は「自分を知ろうとしてくれているんだな」「感じがいいな」と思ってくれるでしょう。

③ 最後まで相手の話を聞く

自分の知っている内容だと、相手の話に割り込んで、「そうそう、私もこんなことがあって！」と相手の話をさえぎりがち。**いつの間にか自分ばかり話してしまい、「会話泥棒」になってしまうことがあります。**親切心だとしても、相手はがっかりして、「この人とはあまり話をしたくない」と思うかもしれません。

④ その場の雰囲気をつかんでおく

その場全体がどんな雰囲気なのか、周りの人の行動に意識を向けてみましょう。**全体の雰囲気をつかんでいると、タイミングよく的確な対応ができるようになります。**

⑤ 小さな気遣いを積み重ねる

第2章ではケースをまじえて日々のちょっとした気遣いを紹介しています。**一つひとつは「そんなこと？」と思うほど、小さなことかもしれません。**でも、実践していくと、気遣いが気疲れでなくなって、人とのコミュニケーションが楽になるはずです。そして、そんな気遣い上手な自分にOKが出せるようになります。

気遣い上手になるための心構え

POINT

- 相手の表情をよく観察する
- 聞き役になる
- 最後まで相手の話を聞く
- その場の雰囲気をつかんでおく
- 小さな気遣いを積み重ねる

さて、ここからは、シチュエーション別の気遣い実践編です。

各ケースで、「やってしまいがちな対応」と、「感じがいい」と思われる「一枚うわての気遣い」を紹介しています。

職場やご近所さん、友人などとの人づき合い、あるいは公共の場などで「感じがいい」と思われるために、44ページの「気遣い上手になるための5つの心構え」を念頭におきながら、身につけておきたい上手な気遣いの仕方について考えてみましょう。

あいさつを する

CASE 1

初めて会う人へ声をかける

今日は（小学校の）保護者会。子どもの同級生のママたちに初めて会うの。初対面だから緊張しちゃうな。ママ友をつくるためにも、がんばって話しかけなきゃ！

▲悪くないけど…

あいさつをしながら、がんばって
いろいろな人に話しかける。

◎感じのいい人

相手をしっかり見て、
にっこり笑顔であいさつする。

ペコペコしすぎると自信なさげに。一度さっと頭を下げればＯＫ

初めての場に行くと、「がんばって誰かに話しかけなきゃ」と思うことも多いでしょう。でも無理しなくても大丈夫です。おしゃべりよりも、あいさつを最優先に考えましょう。

目を合わせてニコッと笑顔であいさつするだけで、十分感じがよく見えます。

あいさつするときは、あまりペコペコしすぎると自信なさげに映ります。コミュニケーションは対等。初めての場だからといって、誰彼かまわずにペコペコすると、相手もかえって恐縮してしまいます。背筋を伸ばして、一度だけさっとお辞儀をしたほうが美しく、堂々として見えます。

ＰＴＡの会長のような、役職を務める人へのあいさつが遅れてしまったら、恐縮して「申し遅れました」「失礼しました」とひと言添えるのを忘れずに。「こちらから先にあいさつするべきだったのに」という気持ちを伝えましょう。

ただし、相手からしてもらってするのは、あいさつではなく、たんなる返事。**「自分から先に」が、あいさつの大前提ということを覚えておきましょう。**

CASE 2

引っ越し先でご近所にあいさつ

賃貸マンションに越してきた。誰も表札を出していないし、ご近所づき合いもあまりなさそう。引っ越しのあいさつって、やっぱりしたほうがいいのかな？

▲悪くないけど…

どうせ賃貸だし、ご近所づき合いをする気もないので、あいさつはやめておいた。

◎感じのいい人

産まれたばかりの赤ちゃんの泣き声で迷惑をかけると悪いので、あいさつをして先に事情を説明しておいた。

顔を合わせておけば、トラブルのときに味方になってくれるかも

最近は「どうせ賃貸だし」「ご近所づき合いが面倒くさい」「あまりかかわりたくない」といって、お隣にあいさつをしないことも多いようです。以前、お隣に引っ越してきた人がペットのワンちゃんと一緒にあいさつにきてくれたことがありました。「あまり鳴かないとは思うんですけど、嫌いじゃないですか？」と言ってくれたおかげで、親近感がわきました。鳴き声が聞こえても「あのコが鳴いているんだな」と、いやな気持ちになりません。**顔がわかると知人になったような感覚になるのです。**

逆にあいさつがないと、相手がどんな人たちかわからなくて不安に。上の階でドドドンと音がすると「お子さんがいるのかな？」と気になります。心理学のザイアンスの法則によると、人は接触回数が多いほど親しみを感じ、知らない人には攻撃的な態度をとるそう。小さな子どもがいたりペットがいたりしてトラブルになる可能性があるときは、先にお伝えしておくと、いざというときに味方になってもらえるかもしれません。いまは表札を出していないお宅も多いので、「○○です」と名乗るきっかけにもなります。**名前を知ることでも、人との距離が縮まります。**

CASE 3

ご近所の人に会ったとき

エレベーターで会う人って、ここの住人なのかな？　いったいどの程度のあいさつをすればいいのか迷っちゃう。話しかけて、仲良くなるべき？

▲悪くないけど…

誰だかわからないので、
頭を下げるくらいにしておく。

◎感じのいい人

「おはようございます。今日は暑いですね」「台風大丈夫でしたか？　そういえば……」と、あいさつ＋お天気の話をして相手がのってきたら話を広げる。

あいさつさえしっかりしておけば、ご近所トラブルは防げる

そんなにがんばって話さなくても、「おはようございます」「こんにちは」という通常のあいさつに、「暑いですね」とお天気の話をプラスするくらいで、十分感じがよく映ります。

でもご近所の人との会話は情報交換のきっかけにもなります。私の場合も、エレベーターでのあいさつをきっかけに、「そういえば、掲示板にお知らせがありましたよね」と確認することができて、助かったことがありました。

もちろん、誰彼かまわず話しかけなくてもいいのです。年配の人など、フレンドリーなオーラを出している人に話しかけて、プラスアルファの話ができればＯＫ。そんなに無理して会話をする必要はないと思います。

ただ、基本のあいさつだけはきちんとすることを心がけて。普段からあいさつをかわしておけば、ご近所トラブルがこじれることはほとんどありません。そして、ゴミ捨て場や駐輪場の掃除などは、率先して行ないましょう。

CASE 4

ママ友にお礼を伝えたい

今日は子どもの同級生のママたちとランチ会。仲良くしている○○ちゃんのママに日頃のお礼が言いたいな。○○ちゃんって最近成績が伸びているみたいだから、どこの塾に行っているかも知りたい……。

▲悪くないけど…

「うちの○○と違って、○○ちゃんは成績よくてうらやましいわ」と、相手の子どもをおだてる。

◎感じのいい人

「いつも楽しい本を貸してくださって、うちの○○も喜んでいるの」と、エピソードを交えながらお礼を言う。

いつものお礼は、子ども同士の仲良しエピソードを交えながら

子どもを介した友人へのあいさつは、子どもがいつも仲良くしてもらっている話をお礼として伝えましょう。「○○ちゃんにいつも仲良くしてもらって、うちの子も喜んでいるわ。ありがとう」「うちの○○、いつも遊ぶのを楽しみにしているの。ありがとうございます」と言うと、相手もうれしく感じてくれるでしょう。

ママ友との関係は子どもがメインなので、子どもの話題で終始するだけでよいと思います。**ほかの話題をがんばって探さなくても、子ども同士の仲良しエピソードをたくさんストックしておけばＯＫ**です。

ただし、**子ども同士を比べるようなことは言わない**のがマナー。サービス精神で自分の子どもを低くして相手を立てたとしても、「○○ちゃん、成績いいらしいですね」という言い方は、相手を困惑させます。うかつな返事ができないからです。

もし成績や塾のことが気になるなら、「どこの塾がおすすめですか？」「おすすめの勉強法ってありますか？」と、正直に聞いてみるとよいでしょう。

CASE 5

子どもの担任の先生にあいさつ

三者面談で先生にお会いする機会が。先生にお会いすることって滅多にないから、しっかりお礼が言いたいな。感じよくお礼を伝えるコツってあるのかしら。

▲悪くないけど…

「いつもありがとうございます」と、ひたすらお礼を言う。

◎感じのいい人

「うちの○○、社会科の授業が大好きになって。本当に先生に感謝しています」と具体的なエピソードを交えてお礼を言う。

子どもから聞いた具体的なエピソードを交えてお礼を

「いつもありがとうございます」というただのお礼より、具体的なエピソードを交えたほうが、先生にも伝わります。真実味が増すからです。

「こういうふうに教えてもらって、子どもが楽しかったと言っています」「先生のおかげで、苦手な算数にも興味がわいたようです」「授業でのこういうお話が印象に残ったようです」というエピソードとともに、「とても助かっています」「感謝しております」というお礼を伝えましょう。

先生の立場としては、「先生の教えで、子どもがこんなに変わった」「こんなにいい影響があった」ということを聞くのが、一番うれしいことのはず。**先生と会う前に、子どもから、先生とのエピソードをたくさん聞いておきましょう。**

先生とお話しするときは、「○○の母ですが」と、毎回名前を名乗りましょう。先生もたくさんの親御さんを相手にしているので、子どもとその保護者の顔が一致していないこともあるからです。

CASE 6

夫の会社のイベントに

夫の会社でお花見のイベントが。家族も参加可みたいで、夫はぜひ参加したらと言ってくれている。せっかくの機会だから、夫の上司にごあいさつしたほうがいいのかな？

▲ 悪くないけど…

どぎまぎしてしまって、上手にあいさつできそうにない。夫に恥をかかせるのもまずいから参加はやめておく。

◎ 感じのいい人

夫の上司にあいさつする機会は滅多にないので、行事に参加。前日に練習して、スムーズにあいさつできるように準備しておく。

家族の顔を知っておいてもらうと、夫も相談しやすい

夫の会社の行事などで、家族が参加できる機会があるなら、迷わず参加しましょう。夫の上司に会うチャンスです。家族がわざわざ参加してくれたことは、上司にも好印象。家族の顔を知っておいてもらえると、何かのときに夫も相談しやすくなるでしょう。

夫の上司に会ったら、「家内でございます。いつも主人がお世話になっております」と、ぱっと言えるようにしておきましょう。緊張すると口がまわらなくなりますし、「家内」「～でございます」という言葉は、普段あまり使いません。慣れない言葉なので、自宅で練習しておくとよいですね。

身だしなみも、夫を立てて控えめに。機嫌が悪かったり疲れているふうに見えないように、黙っているときにも口角を下げないように気をつけましょう。

基本的には、**話をふられたときに会話をすればよいのですが、念のためNGな話題を夫に聞いておいたほうが安心です。**

CASE 7 親戚と久しぶりに会う

法事で夫の親戚が集まることに。夫の親戚はすごく多い。夫のいとこの子どもとか、甥《おい》っ子の嫁とかになると、もう顔と名前が一致しない。こんなできちんとあいさつできるかな……。

▲悪くないけど…

夫の親戚がよくわからないので、「お元気そうですね！」「変わらないわ」とあたりさわりのない話題で乗り切る。

◎感じのいい人

しっかり予習をして、「今年銀婚式ですよね！」などと言えるようにしておく。

親戚の集まりは事前の予習がものをいう！

法事やお正月などでの親戚の集まり。滅多に会わないので「あの人誰だったっけ？」ということもあるでしょう。自分の親戚なら笑い話にもなりますが、夫側の親戚に対しては、粗相がないようにしたいですね。

夫の親戚だと、いとこまでは覚えていても、そのお嫁さんや子どもだと、名前や年齢を覚えておくのは難しいでしょう。**事前に、集まる親戚の名前や年齢、家族構成などを把握しておきましょう。**この予習で、感じのよい妻かどうかの差がつきます。

「いま○年生だよね。学校は楽しい？」「就職して2年目だよね。お仕事慣れてきた？」「今年、結婚○周年じゃない？」などと言えれば、「わあ、私のことを覚えていてくれたんだ！」と、相手は喜んでくれます。

また、親戚の集まりでの話題はワンパターンになりがち。昔話のエピソードなどを夫に聞くなどして用意していくと、その場が盛り上がります。

CASE 8　旧交をあたためる

10年ぶりに高校の同窓会へ。ぜんぜん会っていないから楽しみ！　みんなけっこう変わっちゃった？　顔と名前が一致するかな!?

▲悪くないけど…

「わぁー、ずいぶん太っちゃったな」と内心思いながら、「変わらないね！」と笑顔であいさつをする。

◎感じのいい人

変わったところは気にしないようにして、大げさなくらいに会えた喜びを表現する。

見た目の変化は指摘しない。普段以上の笑顔であいさつを！

久しぶりに会った友人に、見た目の変化を指摘されるとショックなもの。絶対にいい気持ちはしません。たとえ「ずいぶん太っちゃったな……」と思っても、その表情がとっさに出ないようにしましょう。会って一瞬目を見張るような表情をするだけでも、必ず相手に伝わってしまいます。**会う前から「表情に出さないように」と自分に言い聞かせて、気持ちを引き締めておきましょう。**

久しぶりに会ったときは、いつもの1・5倍ぐらいの笑顔で。大げさなくらいがちょうどいいのです。「シワが増えたなあ」とあら探しするよりも、会えてうれしいという気持ちに最大限集中しましょう。同窓会などでは、**事前に名簿や卒業アルバムで名前と顔を確認しておくのもおすすめです。**準備せずにいくと、名前を思い出せないで相手を悲しい気持ちにさせることも。

名前をどうしても思い出せないときは、「下のお名前、何だっけ？」と聞くのもありです。苗字はわかるけど、というニュアンスが伝わり、失礼な感じが緩和されます。

CASE 9

別れ際の印象的なあいさつ

別れ際って、バタバタとちゃんとあいさつできないままに別れちゃうことが多いのよね。久しぶりに会う友だちとは、「また会いたいな」って思ってもらえるようなお別れをしたいな。

▲悪くないけど…

「楽しかった。またね！」と会えてうれしい気持ちを伝えて別れた。

◎感じのいい人

わざわざ私の好きなお店を予約してくれたので、「ありがとう、予約してくれて。うれしかった」と、セッティングのお礼も伝えた。

感謝の気持ちを別れのあいさつにのせよう

普段、頻繁に会っている人ならいいのですが、**久しぶりに会った人に「またね！」だけでは、味気ない印象です。**みなさん、家事や仕事、育児などで何かと忙しい毎日をすごしているはず。そんななか、食事会や飲み会のスケジュール調整、お店の予約をするのは、けっこう大変な作業です。セッティングしてくれてありがたいと思っても、こういうちょっとしたお礼は言い忘れてしまうことがあります。

別れ際には、「楽しかった」「うれしかった」「また会いたいね」などというれしい気持ちに加えて、「ありがとう、スケジュールを調整してくれて」「忙しいのにありがとう」「ありがとう、わざわざ会いにきてくれて」などという感謝の気持ちをセットで伝えられるといいですね。

とくに幹事やまとめ役の人には、いたわりの「ありがとう」を伝えることを忘れずに。そのひと言できっと相手は好印象を抱き、「いいの、いいの、好きでやっているから」「またセッティングするから会おうね！」と言ってもらえるでしょう。

POINT

「あいさつをする」気遣いポイント

◆初対面の人にはにっこり笑顔であいさつするだけでいい

◆「自分から先に」があいさつの大前提

◆引っ越しのあいさつは必ずしよう

◆ご近所さんには、まずは「あいさつ」+「お天気の話」を

◆お礼を伝えるときは具体的なエピソードを添える

◆緊張する相手にはスムーズにあいさつできるよう練習しておく

◆親戚の集まりの際には、名前や年齢、家族構成などを予習しておく

◆久しぶりに会う人には見た目の変化を指摘しない

話をする

CASE 10

職場の飲み会で場をなごませる

職場のパートの人たちと飲むと、盛り上がりがいまいち。今回は幹事だから、私が盛り上げ役になるべきかな？　本当はそういうのあまり得意じゃないんだけどね……。

▲悪くないけど…

人を笑わせるのって得意じゃないけれど、
自ら盛り上げ役となってがんばった。

◎感じのいい人

グループの中心人物に
まめに声をかけてサポートした。

その場を仕切ってくれそうな人をサポートする

その場を盛り上げよう、みんなを笑わせようという、**へたながんばりは必要ありません。**それより、笑顔を絶やさずに「失礼します」「こんにちは」「よろしくお願いします」など、あいさつの言葉を積極的にかけたり、相手の話にあいづちを打ってリアクションをしたりしましょう。これだけでその場の雰囲気はよくなります。

自分が仕切ろうとせず、慣れた人に、その場をお任せしたほうが失敗がありません。**仕切ってくれる人は誰なのか観察し、その方をサポートしましょう。**「今日はありがとうございます」「◯◯してくださって助かりました!」という言葉で相手も気持ちがよくなり、その場もうまくまわります。

趣味のサークルでも、中心になって仕切ってくれている人に感謝を伝えることは大切です。

「ありがとうございます。助かります」と声をかければ、「慣れているから平気よ」とお互いに気遣う温かな空気が流れ、より楽しい集まりとなるでしょう。

CASE 11

趣味サークルでの会話のきっかけ

最近、近所のヨガ教室に通い出した。ひとりで習い始めたので、ヨガを通じた友だちがほしい。どんな会話をきっかけに友だちになればいいのかな。

▲悪くないけど…

会話のきっかけが思いつかなかったので、「どちらにお住まいですか？」と聞いてみた。

◎感じのいい人

「こちらのお教室に申し込んだきっかけって何ですか？」と、参加のきっかけを聞いてみた。

プライベートな話題は会話のきっかけとしては避ける

いきなり「ご家族は何人?」「お子さんいるの?」などの、プライベートな話をふるのは踏み込みすぎです。「なぜ?」「どうして?」という質問も、会話のきっかけとしては重く感じます。

会話のきっかけは、その場にいる「きっかけ」をネタにするのが便利。相手も話しやすいでしょう。

サークルのような場で初対面の人と会話するとき、「参加するきっかけって何でしたか?」なら、サークルと関係のある話なので話しかけやすいですね。「本当は学生時代にやっていたバレーボールをやりたかったんだけど、バドミントンをやっているうちにはまっちゃって」「へぇ、学生のときにバレーボールやっていたんですね」「そうなの、そうなの」と、会話が自然に広がっていきます。

ただ、**自分からは話をしたくない人もなかにはいるので、まずはこちらから話して、あとは相手に任せましょう。**大丈夫な人なら、「私の場合は……」と話し出してくれます。話にのってこないなら、深追いしないようにしましょう。

CASE 12

親しくない人との会話のすすめ方

PTAの会合でしか会わないけど、学校からの帰り道、いつも一緒になっちゃう人がいる。プライベートをよく知らないので、どんな話をすればいいのかわからないんだよね。

▲悪くないけど…

一所懸命会話のきっかけを探して、
相手と話をしようとする。

◎感じのいい人

相手が黙っているのなら、
こちらも黙って相手の様子をみる。

「話さなきゃ」と気負う必要はない

誰にでも、素敵なところはあります。それを会話のきっかけにしてみるのはいかがでしょう。おしゃれだなと感じている人には、「洋服の色の組み合せがいつも素敵ですよね。そういうお仕事してらっしゃるんですか?」。PTAなどの集まりでいつも細やかな心遣いのできる人なら、「気配り上手で、見習いたいです。サービス業にお勤めとか?」など、**相手のいいところを会話のきっかけにして、イエスかノーで答えられるような軽い質問につなげていく**とよいでしょう。

ただ、会話は、自分ばかりががんばらなくてもいいのです。**相手が無言だからといって「話さなきゃ」と気負う必要はありません。**沈黙で様子をみてもいいと思います。私の場合ですが、私ばかりが質問してしまう間柄の人がいたんです。「今日はちょっと黙ってみよう」と「間」を大切にしたところ、相手が「最近ボランティアを始めてとても勉強になっているんですよ」と話し出してくれました。「黙っていてよかった!」と思った瞬間でした。そして、「ちょっとがんばって話しすぎていたかも」と反省しました。会話はお互い様なのです。

CASE 13

相手が心地よく思うほめ言葉

「○○さんってすごいですね」と知人をほめたら、とまどった顔をされてしまった。ただほめただけなのに、何か悪いことを言ったのかな？　失敗しないほめ方があるのなら知りたい。

▲悪くないけど…

「さすがですね！」「すごいですね！」と、
相手が喜びそうな言葉でほめちぎる。

◎感じのいい人

「私はこう思います」という
アイ（I）メッセージで相手をほめる。

私を主語にしたアイ（Ｉ）メッセージでほめる

たまに、ほめているつもりなのに相手を怒らせてしまうことがあります。以前、私が「すごいですね！」と言ったら、「何のことをすごいって思ってるの？」と言い返されたことがありました。

相手のタイプにもよりますが、**相手が主語のユー（ｙｏｕ）メッセージだと、命令、決めつけ、評価的な印象になりやすいので要注意です。**

相手をほめるときは、私を主語にしたアイ（Ｉ）メッセージにすると、相手も受け取りやすくなります。あくまでも自分の気持ちや感情を述べているだけで、決めつけている感じに聞こえないからです。「おしゃれですね」も悪くないけれど、アイ（Ｉ）メッセージで「真似したいな（と私は思う）」「（私は）あこがれます」というほうが、相手も受け取りやすいかもしれませんね。

また、「○○さんが、いつも素敵だと言っているんですよ」と第三者がほめたことを伝えると、おせじではないと伝わります。陰でほめられているのはうれしいし、ひと手間かけてそれを伝えてくれた、あなたへの好感度もアップします。

CASE 14 夫に普段の感謝の気持ちを伝える

私が仕事に子育てに忙しいので、何かとサポートしてくれる夫。いつも助けてくれる夫に感謝の気持ちを伝えたい。そして、ぜひこれからも手伝ってほしいな！

▲悪くないけど…

「いつも家事を手伝ってくれる夫を持って、私は幸せものだわ」と相手を持ち上げる。

◎感じのいい人

「忙しかったから、本当に助かった」と素直に自分の感想を伝える。

わざとらしく相手を持ち上げるよりも、素直な気持ちで表現しよう

「できる旦那さんを持って、私、幸せ！」なんていう感謝の仕方は、かえって相手に警戒心を抱かせます。「その手にはのらないぞ」「手伝ってほしいから言っているんじゃないの？」と思うタイプの人もいるかもしれません。「旦那の鑑だわ！」「いい旦那さん」という言葉もちょっと裏を感じさせる表現。「家事を手伝わないと、俺はダメ夫なのか!?」と思わせてしまうかもしれません。

そういう言葉で相手をおだてるよりも、**「助かった！」「うれしい！」「感激！」と、素直に自分のうれしい気持ちを伝えるほうが、もっと感謝が伝わります。**

さて、夫に家事を手伝ってもらいたいと願う奥さんたちもいらっしゃることでしょう。「〇〇して」と命令してしまうと、どうしても相手は拒否反応を起こします。**語尾を「しよっか？（Let's）」に変えると命令的でなく、問いかけとして伝わります。**

結局はひとりでしてもらうのですが、「お風呂掃除そろそろしよっか？　私はゴミ捨てしてくるわ」とお願いすると、2人で分担している一体感が出ます。ぜひお試しください。

CASE 15 仕事のシフト交代をお願いする

急に子どもが発熱。パートのシフトを代わってもらいたいけれど、急なお願いって、どうすればうまく受け入れてもらえるのかな。

▲ 悪くないけど…

「子どもが急に熱を出してしまって」と、お願いする理由を正直に告げる。

◎ 感じのいい人

「子どもの熱が38度９分まであがってしまって」と、理由をより具体的にしてお願いする。

理由は数字まで具体的にすると危機感が伝わる

お願いのときは、「○○さんもいろいろ忙しいなか、心苦しいお願いなのですが」「○○さんもご予定があるなか、本当に申し訳ないんですけれど」という気遣いの枕《まくら》詞《ことば》をつけると、申し訳ない気持ちが伝わります。

そして、正直に具体的な理由をプラスしましょう。

「病気で」「家の用事で」くらい大ざっぱだと、「本当なのかな？」と疑う人もなかにはいます。なるべく具体的に、がおすすめ。「インフルエンザで」「子どもが骨折して」と傷病名を言ったり、「熱が38度9分まであがってしまって」と数字まで詳しく伝えるほうが、困っている状況が伝わりやすくなります。

お願いするときは、くれぐれも交換条件は出さないこと。「この間、代わってあげたからお願い」では、相手にしたら足元を見られているようでよい感じはしません。「今度、あなたが忙しいときに代わるから」だと、そのときになって必ずしも代われるという保証はありません。**機会があるかどうかわからない無責任な交換条件は、口に出さない**ようにしましょう。

CASE 16

迷惑をかけたことを詫びる

ママ友からグループLINEにガンガン連絡がきていたのに、気づかなかった。私が返事をしなかったために、スケジュールが決まらなかったみたい。まずい！

▲悪くないけど…

とりあえず「すみません！」と何度も謝る。

◎感じのいい人

「私の返事が遅れたせいでスケジュールが決められなくて本当にごめんなさい」と、相手が困っている部分にしっかりスポットをあてて謝る。

相手が困っていることをとらえてお詫びする

お詫びは具体的に、が基本です。ただ謝罪するだけでは何に対して謝っているのかわかりません。さらに、**「すみません」は軽めに聞こえる言葉。**なぜなら**「すみません」は「申し訳ない」「ありがとう」「お願いします」など、さまざまな意味に解釈できる言葉だから。**「本当にわかっているの?」と相手に不信感を抱かせます。

たとえば、「○○さんの返事を待って決めようと思っていたんだよね」と、相手に言われてしまったら、「ずっと返事をしなくて、そのせいで決められなくなってしまって、本当にごめんなさい」というふうに、**相手が困っていることをしっかりとらえて、お詫びしましょう。**お詫びは、「相手の気持ちをきちんとわかっていますよ」という確認作業のようなものです。

ビジネスの場合なら、「今後はこうするように気をつけます」などの対応策が必要ですが、プライベートだったら、相手が恐縮するので必要ないでしょう。「以後気をつけます」と言われてしまうと、相手と心の距離ができてしまうので、そこまではせず、申し訳ない思いを伝えるだけでよいと思います。

CASE 17 遅刻をして謝らない相手にひと言伝えたい

ママ友のAさんには頭にきた。何で30分も遅刻してきて謝らないのかな。ちょっと非常識だと思うのだけど。頭ごなしで怒るのも大人げない気がするけれど、気持ちも伝えたい。どういう態度をとればいいの？

▲悪くないけど…

「あなたのここがよくない」と正直に伝える。

◎感じのいい人

「あなたの行ないにとまどった」と
自分の感情を伝える。

相手を非難せずアイ(I)メッセージで感情を伝える

ほめるときと同様に、相手の言動に対してひと言伝えるときは、アイ（I）メッセージで伝えましょう。ユー（you）メッセージで「(あなたは) 非常識だよね」「それは（あなたが）おかしいよね」と言うと、攻撃された！ と、逆ギレされてしまうかもしれません。

アイ（I）メッセージで「ちょっととまどっちゃって」「心配になっちゃったよ」とあくまでも自分の感情を伝えるのが無難です。**気持ちは言葉だけではなく、表情でも伝わります。笑顔ではなく神妙な面持ちで、声色も静かに話してみましょう。**

ストレートに非難すると、感情のこじれにつながります。最初の論点からずれて、「ああいう言い方しなくても……」「言い方がこわい……」と、違うことに飛び火することも。メールでやりとりするのも、データが残ってしまうのでどこでどう拡散するかわからないため、避けましょう。自分の気持ちをわかってもらうくらいに留めるのがいいと思います。

CASE 18

同じ失敗を繰り返す相手に注意する

同僚は、私がいくらきちんと書類を作ってと頼んでも、同じ失敗を繰り返すから困っちゃう。私の注意の仕方が的確でないせいなのかな？　注意するのって苦手だわ。

▲悪くないけど…

「ここが抜けているから、きちんとやってね」と、足りない部分を伝えたつもり。

◎感じのいい人

「事実＋その影響＋提案」で、注意すべき点を伝える。

影響を指摘することが動機づけにつながる

漠然とした注意を受けても、何を直せばいいのかさっぱりわかりません。たとえば、「きちっと書類を作って」と言われても、きちっとの定義は非常にあいまい。きちっとのレベルも人によって違うので、具体的でないとずれが生じてしまいます。

私が、以前、上司に注意されたときは、**「事実」「その影響」「提案」の3つで伝えてくれたので、注意点がよく理解できました。**

（事実）「書類の読点が、半角と全角のどちらも混じっているね」
（その影響）「わかりやすい内容なのに、雑に見えるともったいないから」
（提案）「全部、全角でそろえようか」

と言われ、「（なるほど）はい」と、なったことがありました。

こう注意されると素直に納得できます。「全部全角にして」だけだと「えー、細かいな」と思ってしまうかもしれませんが、「せっかく内容はいいのに適当感が出ちゃうよ」「大ざっぱな人だと思われるよ」と、影響を言ってもらえると動機づけにつながっていきます。**誰かを注意するときは、ぜひ影響部分を省かずに伝えましょう。**

POINT

「話をする」気遣いポイント

◆無理にがんばって盛り上げ役となる必要はない
◆会話のきっかけとしてはプライベートな話題は避ける
◆相手が黙っているなら、自分も黙って様子をみる
◆ほめる場合は私を主語にしたアイ（I）メッセージで
◆感謝の気持ちは、素直に自分の感想を伝える
◆謝る際は相手が困っている部分にスポットをあてて謝る
◆相手を非難せずアイ（I）メッセージで自分の感情を伝える
◆注意する場合は「事実」「その影響」「提案」の3つで伝える

話を聞く

CASE 19

友人の夫に対する悩みを聞く

友人が旦那さんのことで悩んでいる。子育ても家事も手伝わない夫なんて、確かに許せないけれど……。悪口が止まらない友人に、どうアドバイスしたらいいのかな？

▲ 悪くないけど…

本当にひどいと思ったから
「それは旦那さんが間違っているよ！」と同意してあげる。

◎ 感じのいい人

同調せず、「そういうことがあったんだね」と、
事実を繰り返して聞いておく。

悩みを聞かされたら、聞くだけで相手はいやされる

悩みを聞かされると、つい味方としてあなたは悪くないと言ってあげたくなりますよね。でも、それは要注意。たとえば、友人の旦那さんの悪口を聞かされても、「それはひどいよね」とは安易に同意しないほうがいいのです。

相手が言ったことを繰り返して「それでショックだったんだね」「そうだったんだ」で十分です。「あなたの旦那さん、神経質すぎるよ」と批判した瞬間に「私は夫の悪口を言ってもいいけれど、あなたが言うのはちょっと違うんじゃない？」というモードに切り替わります。**相談と言いながら、相手の答えはすでに決まっていて、話を聞いてほしいだけのケースがほとんどです。**

もし、アドバイスを求められたら、「私だったら○○かもしれない」「私だったら○○する」と、私を主語にして話しましょう。また、「ちょっとよそで聞いたんだけれど、こういうふうにしている人がいるみたい」と、自分の意見ではなく、情報として伝えるのもよいでしょう。

CASE 20
不安に思っている相手を励ます

職場の同僚の旦那さんが急に仕事をやめると言い出したそう。起業すると言っているらしいけれど、同僚は「先行きが不安」と心配な様子。何とか励ましてあげなきゃ！

▲悪くないけど…

相手を安心させるために、「何とかなるよ」と言って励ます。

◎感じのいい人

「力になれることはない？」と、
一緒にできることを考える。

「何とかなるよ！」は相手をイラッとさせる無責任な言葉

不安に思っている相手を慰めたいという気持ちは、とてもよくわかります。でも励ましによく使われる「何とかなるよ」という言葉が、無責任なひと言に聞こえることも。「何か他人事だな、適当に言ってるな」と、相手は思うかもしれません。当人の本当の気持ちを他人が理解することは難しいものです。

安易な慰めや励ましよりも、相手のために何ができるかを考えましょう。**ひたすら相手の話を聞いて、「力になれることがあったら遠慮なく言って」「こんな私でよかったらいつでも話を聞くよ」「一緒にできることを考えよう」と言ってあげるのが、不安な気持ちに寄り添うことになります。**

私の失敗談です。「独立して講師をやろうと思っているんだけれど、不安なんだよね」という知人の言葉に、安易に「○○さんなら何とかなるよ」と言ってしまったのです。すると、知人はさっと真顔になって「失敗したら三上さん責任とってよ」とひと言。「まずい！」と思いました。「何とかなる」は、ときに無責任に聞こえるのです。

CASE 21

苦情を受けたときのお詫び

子どもの同級生のママから、LINEで「お宅の子どもがうちの子に怪我をさせた」というクレームが！　子どもに聞いてみたら、ささいなケンカらしいのだけれど、本当にうちの子が全部悪いのかな。でも、とりあえずお詫びしたほうがいいよね？

▲悪くないけど…

お詫びの言葉をひと晩考えて、メールで送った。

◎感じのいい人

「お時間いただけますか？」と、
電話でお詫びの機会を申し入れた。

まずは電話で相手の様子をうかがう

必ずしもこちらに非があるわけではありませんが、まずは相手に「不快な思いをさせた」「心配をさせてしまった」「誤解させてしまった」ことへのお詫びをします。事実はどうあれ、そういう気持ちにさせてしまったことには変わりはないからです。

そして、**込み入った問題のお詫びは、メールではなく、必ず電話か直接会ってやりとりしましょう。**

怒りや不満をぶつけられたときは、プライベートではかなり末期的。相手は関係が終わってもいいという覚悟で文句を言ってきている可能性も。そんな相手の精神状態では、こちらの思いも文字だけでは届きづらいものです。

複雑な話をするとき、文字だけのコミュニケーションは難易度が高くなります。文章力や表現力も必要ですし、配慮の言葉もふんだんに盛り込まなくてはなりませんから。「お話しさせてもらってもいいでしょうか」「お時間いただけますか」と、電話で相手の様子をうかがいましょう。**あなたの声でも謝罪の気持ちを表現していきましょう。**

CASE 22

相手が話しやすくなる あいづち

相手が話をあまりしてくれないときがある。何だか少し話しづらい……。そんなとき、何か聞き方で工夫できることってあるのかな？

▲悪くないけど…

「うんうんうん」と、なるべくあいづちを多く打つ。

◎感じのいい人

話によって、あいづちを使い分ける。

あいづちは相手の話を聞いている意思表示

話を聞いているときは、あいづちの言葉は自然に出てくるものだと思います。しかし、あまり打ちすぎるのも問題。打ちすぎると相手の話のペースを乱してしまいます。また、楽しい話のときは「もっと話して！」の合図になるのでよいのですが、重い話のときは聞き流しているような印象になります。重い話のときには、話のポイントや、文末で深くうなずくだけに留めるとよいですね。話の内容によって、あいづちの仕方を変えましょう。

また、**同じあいづちは３回以上続けないのがコツ**。「うん」だけでなく「えー」や「わぁ」など、**違うあいづちを混ぜるといい**ですね。

必ずしも言葉に出さなくても、驚いたり、楽しそうにしたり、悲しそうにしたりするなど、話によって表情を変えることでも、あいづちと同じ効果が生まれます。

電話の応対ではとくに、顔の表情が見えないのであいづちが生きてきます。**あいづちを上手に打つことで、「あなたの話を興味深く聞いていますよ」という気持ちを伝えることができます。**

CASE 23

人数の多い集まりで話を聞く

PTAの会合って眠くなっちゃう。ダメダメ！　話している人に悪いから、ちゃんと話を聞かなきゃ。でも、私のことなんて壇上からどうせ見えてないよね？

▲悪くないけど…

話は聞いているけれど、どうせ見えないからと、
とくにリアクションはしない。

◎感じのいい人

相手からは見えないかもしれないけれど、
「うん、うん」とうなずきながら話を聞く。

大勢の集まりでも、あなたのうなずきは相手を勇気づけている

1対1や少人数の会話だと、うなずきながら聞くことのできる人が多いのですが、大人数の集まりだと、とたんにうなずきが少なくなります。たとえばPTAの会合のように集団で話を聞くとき、あなたもうなずきを怠っていませんか。コミュニケーションをとるというより、テレビを見ている感覚になってしまうのかもしれません。

私の経験ですが、話をする側からすると、100人くらいまでなら、相手の顔ってびっくりするほどよく見えるのです。「あ、あの人、うなずいてくれている」「こわい顔でこっちを見ている」と、表情までよくわかります。そういう表情を見ながら、「この人は好意的」「あの人はつまらなそうにしている」と無意識に選別しているのです。無表情な人の顔を見ると心が折れそうになるので、私は、好意的に聞いてくれる人を相手に話すような気持ちでいます。

大勢で聞いていても、きちんと聞いているというサインを出してあげましょう。あなたのうなずきで相手は勇気づけられています。うなずきで、「私はあなたの味方よ」という気持ちを伝えてあげましょう。

CASE 24

距離を縮めたい相手と親しくなる

○○ちゃんのママって明るくて、気さくで、みんなの人気者。私ももっと仲良くなりたいけれど、いきなりランチにお誘いしてもいいのかな？　どう思うかな？

▲悪くないけど…

「2人でランチに行かない？」と積極的にお誘いする。

◎感じのいい人

「こんなイベントがあるけど一緒にどう？」と
相手の様子をうかがう。

自然に親しくなるように心がけて

最近はプライバシーを気にする人が多くて、なかなかプライベートに踏み込んで話すことって少ない気がします。聞いたら失礼じゃないかと自主規制して、何も聞けない雰囲気に。人との距離を感じてちょっと寂しいですね。

とはいえ、他人に警戒心のある人も多いので、最初から一気に距離を縮めようとしないほうがいいでしょう。いきなり2人きりの状況に誘ったり、私のうちに遊びにきてと招待したりするのは、避けたほうが無難です。こちらに下心はなくても、相手に「どうして？」「何かあるのかな？」と不信感を抱かせます。

ご近所同士でもめてもなかなか引っ越せないし、ママ友同士でもめると子どもに悪影響。**人間関係は「つかず離れず、細く長く」と考えて、徐々に仲を深めていきましょう。**相手が興味を抱く負担感のないようなイベントなどにお誘いして、相手の様子をうかがうのがいいかも。こちらが誘えば、相手も一歩踏み込んできてくれるかもしれません。**がんばって仲良くなるより、自然に人間関係を築いていくつもりで。無理があると疲れるし、長続きしません。**

CASE 25

悪口や噂話を聞いたときのかわし方

マンションのお隣さん。いつも共有スペースで近所の人たちとひそひそ井戸端会議。感じ悪い！　どうやら噂話をしているよう。あまりかかわり合いたくないんだけど、声をかけられたらどうすればいいの？

▲悪くないけど…

とりあえず、「確かにそれはそうですね」とあいづちを打っておく。

◎感じのいい人

事実と感情を復唱するだけにして、同感しないように注意する。

うっかり同感のあいづちを打たないように注意！

悪口や噂話を聞いたら、迎合しない、否定しないのがポイントです。

あいづちのつもりで、「そうだよね」「それひどいよね」と言ってしまうと、別のところで「あの人もそう言っていたよ」と、拡散されてしまうことがあるので気をつけて。私も以前、「そうだね、確かにそういうとこあるよね」と、同感したように言ってしまったら、別のところで「三上さんもそう言っていたよ」ということになっていて、びっくりしました。「そうなんだね、それでいやだったんだね」と、相手の事実と感情を復唱するだけにしておけばよかったのです。「そうなんだね」と「そうだね」は、似ているようでぜんぜん違うということを思い知りました。

こういうときは「でも彼女、こんないいところもあるのよ」と、相手の言葉を否定するような言い方も避けたほうがいいでしょう。噂話をしている相手が悪者のようになってしまうからです。

話が一段落ついたら、「あ、そういえば……」と話題を変えたり、「そろそろお迎えの時間……」などと言って、その場を離れたりするといいと思います。

CASE 26

新しい仕事を引き受ける

パートで「新しい仕事を任せたい」と言われた。お給料もあがってうれしいけれど、ちょっと複雑な仕事だから心配。私にできるかな？　心配ごとを確認したら、任せて大丈夫かなと思われちゃうかしら。

▲悪くないけど…

相手の期待に応えるために、とりあえず引き受ける。

◎感じのいい人

心配なことは先に解決してから、引き受ける。

引き受ける前によく話を聞いて心配ごとを解決する

引き受けるにあたって心配なことがあれば、事前に「この部分が初めてなので、いろいろ助けていただけたらありがたいのですが……」「この曜日はこういうことが入るかもしれないので、勤務できないかも……」などと、相手に伝えておきましょう。そして、**何か引っかかることがあるなら、しっかり内容を確認してから引き受けるのが得策です。**「もうちょっと詳しく教えていただけますか」「こういう可能性ありますか」と、遠慮せずに確認しておきましょう。**安請け合いはかえって迷惑になります。**

よくよく話を聞いてみたら、自分の思っている内容と違うという場合があります。これは私の失敗談なのですが、引き受けた仕事がものすごく時間がかかることだとわかり、結局、引き受けたあとに断ることに。メールで依頼されると、ざっと目をとおすだけで、自分の都合のいいように文面を読んでいることもあります。「まずは詳しくうかがってからお返事してもいいですか」と断っておくことも大事です。

引き受けるときは、「声をかけてくださってありがとうございます」「光栄です」と、前向きな返事を。相手も「頼んでよかった！」と思ってくれます。

CASE 27

ちょっとしたお願いを断る

有料チャンネルに加入してないからと、友人にしょっちゅう韓流ドラマの録画をお願いされる。忘れずに録画予約するのも気を遣うし、ディスクにダビングするのも面倒。でも断ると友だちがいがないと思われるかも……。

▲悪くないけど…

「今回は忙しくて無理かも。必要なときまた言ってね」と今回だけは断る。

◎感じのいい人

「おっちょこちょいで忘れっぽいから」と自分のせいにして、期待させない。

負担になるなら期待を持たせずにお断りを！

ちょっとしたお願いも、何度も続いたり、毎回だったりすると面倒になることがあります。「お取り寄せ、まとめ買いしてもらってもいいかな？」「○○の番組、録画してくれない？　うち見られないチャンネルで」という、本当にちょっとしたこと。断ると、「大したことじゃないのにケチだな」と思われそうで、かえって断りづらいのです。でも、今後ずっとお願いされたら、けっこう負担です。

そういうときは、**「おっちょこちょいだから忘れやすくて」「心配性でいつも気になっちゃうから」と、自分の性格を理由にするのが、あたりさわりのない断り方。**

もし苦手な分野だったり、健康上の問題があったりするなら、「運動は苦手だから」「体調が悪いので」と正直にその理由を話しても。また以前の経験を言うのも有効です。「それは前にやってみて難しかった」と言えば、相手も今後無理には頼んできません。**悪いなという気持ちから、「また言ってね」「また誘って」と言うと、本当に声をかけてくれる人もいます。**今後に期待を持たせてはかえって失礼です。

CASE 28 「子どもをあずかって」と頼まれた

仕事もしていて忙しそうなママ友Cさんに、「子どもをあずかってくれない？」と頼まれた。でも予定もあるし、何かあったら大変。申し訳ないけれど、何とか断りたい。

▲悪くないけど…

とりあえず無理なものは無理。
「申し訳ないけれど、あずかれないわ」と言って断る。

◎感じのいい人

「実家の父が入院して時間がなくて」と
家族のことを理由にして断る。

断るときは理由をきちんと説明する

ママ友のお願いごとを断るのは、お互い持ちつ持たれつですので気を遣います。でも、**無理して引き受けても、結果として相手に迷惑をかけることになったら今後のおつき合いにも影響を与えかねません。**断るときほど丁寧な気遣いが必要。できるだけ早く返事をして、断る理由を次のようにきちんと説明しましょう。

①　**家族のことを理由にする**　「家族の用事で」「実家の手伝いをしなければいけないので」「義理の母がきているので」など、家族が理由なら、相手もそれならしょうがないと思うはず。

②　**自分を下にして断る**　「何かあったら本当に申し訳ないので」「迷惑をかけたらかえって悪いので」と、自分がかかわるとかえってあなたに迷惑をかけるという言い方をする。

③　**代替案でできる範囲のことを提案する**　「地域のボランティアの人たちがやっているこんな場所がある」など、代替案を出せると誠意が伝わります。

CASE 29

しきりに商品をすすめてくる

趣味のサークル活動で知り合った方が、しきりに化粧品をすすめてくるの。ネットワークビジネスは、ちょっと苦手……。絶対買いたくないけれど、悪い人じゃないから角が立たないように断りたいな。

▲悪くないけど…

「ギクシャクしたくないのでこういうことはお断りしているの」と正直に言って断る。

◎感じのいい人

「夫に反対されるの」と家族のルールを説明して断る。

相手に期待を持たせないように断る

借金の場合、「人間関係をこわしたくないので、お金の貸し借りはしないのよ」という正論を言いがちですが、この正論は、説得する材料を逆に相手に与えることになります。「必ず返します。信じてほしいな」と言われてしまったら、さらに断りづらくなります。

借金やネットワークビジネスの商品などの申し込みを断るときは、自分の意思ではどうしようもない、「変えることのできない決まり」があるということを理由にしてみましょう。「家訓なので」「親から絶対ダメだと言われているので」「夫に反対されるので」など。ネットワークビジネスの商品なら、「実は親戚もその商品を売っていて、そこからも買っていないの。だからごめんなさいね」と、家族の方針を伝えてもよいでしょう。

こういう申し出は、一度引き受けてしまうと何度もお願いされる可能性があるので、**丁寧だけれど、相手に期待を持たせないようにきっぱりと断ったほうがよいでしょう。**

CASE 30

ご近所から騒音の苦情が入る

マンションの下の階の方から、「お宅から聞こえる音がうるさい」と苦情が。もしかして子どもの足音？　それとも飼っている犬の鳴き声が原因かな？　どうやって謝れば、相手に納得してもらえる？

▲悪くないけど…

「すみません。以後、気をつけます」と謝る。

◎感じのいい人

お詫びし、どんな音か、どの時間帯か
念のため教えてもらう。

具体的にどこが問題なのかを相手に聞いてみる

マンションのご近所トラブルとしてよく聞くのが、声、音、ペット、共有スペースの使い方。なかでも多いのが廊下を歩くときの話し声、ペットの鳴き声など「音」に関することのよう。家族の出す音には十分気をつけたいですね。**もし隣人からクレームがあったら、「特にどの時間帯で、どんな音か教えてもらってもいいですか」と、具体的に聞いてみましょう。**そして「申し訳ありませんでした。特に朝8時くらいに響く子どもの足音ですね。気をつけます」と謝罪すれば相手も安心できます。ただ「すみません」では、「本当にわかっているのかな」と、相手を不安にさせるのです。

ちなみに、**自分が相手にクレームするときも、アイ（I）メッセージで伝えるといいと思います。**たとえば隣の家の犬がうるさかったら、「うるさいんですけれど！」ではなく、「むかし、犬にかまれたことがあるので、（私は）犬がこわいんです」と、自分の感情を訴えましょう。私の友人の場合ですが、一度隣人にアイ（I）メッセージで伝えてみたら、その後、犬のほえる声があまり聞こえなくなったそう。アイ（I）メッセージがうまく伝わったケースですね。

POINT

「話を聞く」気遣いポイント

◆家族のぐちを聞かされても一緒になって悪く言わない
◆「何とかなるよ」と安易に言ってしまわない
◆あいづちは話の内容によって上手に使い分ける
◆大勢の集まりでもうなずいて、聞いているサインを出す
◆悪口や噂話を聞いたら、迎合せず否定もしない
◆何かを引き受けるときはよく話を聞いてから
◆お願いごとを断るときは理由をきちんと説明し、期待させない
◆ご近所トラブルが発生したら、どこが問題か具体的に聞いてみる

SNSへの
対応

CASE 31

LINEグループの会話を切り上げる

LINEグループの会話がなかなか途切れない。いったいいつまで続くのかな。そろそろ夕飯の買い物にも行かないと。何も言わずに抜けたらまずいかな？

▲悪くないけど…

誰も気にしていないと思って、無言で会話から抜ける。

◎感じのいい人

「夕飯の買い物に行ってきまーす」など
断ってから抜ける。

無言で抜けずに、何かしらの理由をお知らせして

趣味のサークルのLINEグループ。会話が盛り上がり、どんどん続いていくことがあります。「そろそろ、抜けたいな」と思っても、なかなかタイミングがつかめません。無言で抜けても誰も気にしないかなと思うのですが、なかには気にして見ている人もいるのです。

私も以前、「三上さんが話に加わらないから、どうしたのかと思った」「私たちの話に、ドン引きしているのかなと心配したよ」と言われてしまい、「そんなことないですよ！」と慌てたことがありました。「みんな、会話に加わらない人のことを気にしているんだな」と感じたエピソードです。

理由は何でもいいと思うのです。「お風呂入りまーす」「旦那が帰ってきましたー」「買い物行ってきまーす」「子どもがお腹がすいたと騒ぎ出したので」と、メッセージを入れて、「このあとは発言できない」ということをみんなにお知らせしましょう。そうすれば、グループの人も不安になりません。

CASE 32

食事会の写真をアップしたい

昨日、ママ友グループでのランチ会、楽しかった！　いっぱい写真撮っちゃった。盛り上がった思い出として、SNSに写真をあげちゃおうかな？

▲悪くないけど…

写真に写っている人には許可をとって、SNSにあげる。

◎感じのいい人

参加していない人がどう思うかわからないので、SNSにあげるのはやめておく。

情報発信には十分に気をつけて

LINEグループのように限られたグループならともかく、FB*のように不特定多数の人が見るようなSNSに参加者の写真をあげるのは、基本的にはやめておいたほうが無難です。写真をあげていいことは、ほとんどありません。マイナス要素のほうが多いのです。写真を見た人のなかには、「へぇ、そっちの集まりには行くんだ。こっちの集まりはいつも断るのに……」「あれ、その日って私の誘い、断った日じゃない？」と、誤解であっても勝手に解釈されてしまうおそれがあります。楽しそうな写真の裏には、「何で私は誘われないんだろう」「この日は、私もスケジュールが空いていたのに」と、寂しく思っている人がたくさんいるかも。

しかも、その写真自体、全員がいい顔で写っているわけではありません。SNSにあげている当人しか気に入っていないと考えてよいでしょう。「あげるのはやめてと言いづらいから、まあしょうがない」くらいに思っている人が多いものです。

人間関係が可視化されるのがSNS。**注目している人がたくさんいるということを心に留めて、情報の発信には十分に気をつけましょう。**

＊フェイスブック

CASE 33

グループを退出したい

学生のときのLINEグループ。特定の人たちが盛り上がっていて自分だけ無言なのも気が引ける。同窓会のお知らせならメールでも受け取れるし、退出しちゃおうかな。いきなり退出したら、角が立つかしら？

▲悪くないけど…

理由も言わずにいきなり退出してしまう。

◎感じのいい人

「タイムリーに情報を追えないので」と
理由を言って退出する。

いらぬ憶測を生むので退出の理由は必要！

グループに入れてもらえたのはいいけれど、自分に関係ない話をされたり、本題と違うことで一部の人たちだけで盛り上がっていたりするのを目にすると、「このグループに所属している意味があるのかな？」と疑問に思うことがあります。でも、い**きなり退出すると、「何か怒らせた？　私たち」「礼儀がないよね」と、自分のいないところで噂をされるかも。**それも気分がよくありません。

私の場合をお話しすると、スポーツサークルを仕切ってくれていた人がいきなり退出して、「何かトラブルがあったんですか？」とグループのメンバーが大騒ぎに。結局はご家族の事情だったようですが、ひと言、理由を知らせてくれたら、「そうなんだね」で終わっていたのかもしれません。

今後も続く人間関係なら、やはり、ひと言断るのが無難です。ＬＩＮＥは、タイムリーに情報交換できるのが特徴。したがって、「タイムリー」というところを強調して、「家庭の事情でタイムリーに話に加われないので、申し訳ないからいったん退出します」と言っておけば、そのあとにいらぬ憶測を生むこともないでしょう。

CASE 34

SNSのアカウントを教えたくない

またLINEのアカウント聞かれちゃった。LINEは特定の人だけにしておきたいんだよね。お断りしておきたいなという場合、LINEのアプリは入れていないので、という理由は通用するかな？

▲悪くないけど…

「LINEはやっていないので」と言って断る。

◎感じのいい人

「スマホの買い替え時期なので」と、
話を少しそらす。

話をそらして遠まわしに断る

いまどき「ＬＩＮＥはやっていないので」という言い訳は考えものです。何かの情報とリンクして、ふいに名前が出てくることもあります。「あ、本当はやっているんだ」と、嘘がバレるとバツが悪いですね。その後の人間関係にもひびいてきそうです。そういうときは、**「スマホの買い替えのタイミングなので」と断るのはいかがでしょう。その場しのぎですけれど、察しのいい人には、「あ、あまり教えたくないのかな」と伝わります。**

ＬＩＮＥはタイムリーに話に加われないと、情報がどんどん流れてしまいます。「既読」の表示も出るので、すぐに返信しなければなりません。けっこうプレッシャーのかかるコミュニケーションツールだと思うのです。また、情報が埋もれてしまうので、「あとから検索するのが大変」という話もよく聞きます。あまり好きではないのなら、**「ＬＩＮＥって私にとっては使いづらくて。メールのほうが助かるんですけれど」と、正直に言ってみてもいいかもしれません。**

CASE 35

オフ会のお誘いを断りたい

SNSで知り合った友人にしょっちゅうオフ会に誘われる。SNSでの交流は楽しいけど、実際に会うのはちょっと面倒かな。

▲悪くないけど…

「会ったことのない人と会うのはこわいので」と言って断る。

◎感じのいい人

最初に「家の事情があってなかなか空けられないの」と言っておく。

最初におつき合いのスタンスをはっきり伝える

SNSで知り合った人たちに、食事や飲み会に誘われることがありませんか。いわゆる「オフ会」です。「趣味の話は合うけれども、食事や飲み会まではちょっとなぁ……」と、こういう人間関係に躊躇することも多いでしょう。

共通の話題を楽しむのが目的で、オフ会はおまけのようなもの。オフ会のお誘いが負担になるようなら、最初に、「うちは夜に家を空けると夫がうるさくて」「毎日、子どもの塾の送り迎えがあるので」「毎日、何時までに帰らなければいけないので」と、おつき合いのスタンスを伝えましょう。

先に線引きしておけば、しつこく誘われることもなくなるでしょう。

「人見知りでリアルに会うのはちょっと苦手で」と、自分の性格のせいにしてもよいと思います。

ただSNSのオフ会で、「会ったことのない人と会うのがこわいので」と言うのはストレートすぎ。その後のつながりはなくなるという覚悟を。

POINT

「SNSへの対応」気遣いポイント

◆LINEグループの会話を抜けるときは理由を知らせてから
◆SNSでの情報発信は十分に気をつけよう
◆退出する際は、いらぬ憶測を生まないようにひと言断る
◆アカウントを教えたくないときは話をそらして遠まわしに断る
◆SNSで知り合った人には、最初におつき合いのスタンスを伝える

冠婚葬祭などの場で

CASE 36

結婚式に招待されたとき

職場の後輩の結婚式に招待された。久しぶりに結婚式に出席するから、テンションあがっちゃうなー！　一所懸命盛り上げよう。

▲悪くないけど…

お祝いの席だからと、張り切ってほかのテーブルにお酒をついでまわる。

◎感じのいい人

テンションがあがりすぎないように、落ち着いて振舞う。

出欠のハガキはスピーディーに返信

新郎新婦にとって印象深い招待客は、一番最初に出席のハガキを返送してくれた人なのだそう。ある結婚式では、「一番に返信してくれた人にプレゼントを渡します」というコーナーが設けられたそうです。逆に締め切りギリギリになって出欠のハガキを出す人も多いかもしれませんが、印象は明らかによくありませんね。お祝いごとは、喜びの気持ちをスピードでも伝えていきましょう。

披露宴ではうれしい気持ちが高ぶって、ほかのテーブルにあいさつにまわる人もいますが、そういうあいさつは親御さんにお任せしましょう。いろいろしてあげたくなる気持ちもわかりますが、**招待客は出しゃばらず、新郎新婦、親御さんの邪魔をしないように心がけて。**披露宴会場で「わあっ」とテンションがあがりすぎないように、気を引き締めましょう。余興を頼まれたときは、あらかじめ新郎新婦に「こういうのを考えているんだけれど、大丈夫かな」と、確認をとっておくとお互いに安心ですね。おめでたい席ではありますが、**大人の女性なら、はしゃぎすぎない、落ち着いた振舞いが好ましく映ります。**

CASE 37

大切な人が出産したとき

学生時代の後輩に初めての赤ちゃんができた。私もとってもうれしい！　ああ早く赤ちゃんの顔が見たいな。お祝いでかわいいベビー服を贈ってあげないと！

▲悪くないけど…

生まれてすぐに、ベビー服を贈ってあげる。

◎感じのいい人

相手が落ち着いてきたころに、
必要なものを聞いてからお祝いを贈る。

お祝いは相手が落ち着いた出産1カ月後くらいに

「すぐにお祝いしなきゃ」と、うれしい気持ちになりますが、相手の状態も気遣って。**出産後1カ月くらいはとても忙しい時期。早すぎるお祝いは避けたほうが無難。**「お祝いをもらったらお返ししなきゃ」と、かえって相手に気を遣わせてしまいます。

マナーの本などでは、お祝いは出産後10日～1カ月以内にと書かれていますが、落ち着いてきた1カ月後くらいに贈るのがベストな時期でしょう。

出産のお祝いは、どんなお祝いの品を贈るのかがポイントになります。かわいいベビー服を選びたくなりますが、「ほしいものがなかなかもらえない」という声をよく聞きます。ベビー服だと、ほかの人とも重なりがち。**事前に、相手に何がほしいのか聞いてから贈ったほうがいい**と思います。これからどんどんお金がかかるので、「やっぱり現金がいちばん助かる」という人も多いですね。

生まれたばかりのかわいい赤ちゃんを見たいという人もいるかもしれませんが、忙しいときなので、相手が落ち着くのを待って、お祝いとともに赤ちゃんの顔を見にうかがいましょう。

CASE 38

お礼やお祝いの品を贈るとき

お取り寄せしたフルーツ、とってもおいしかった。この間お世話になったママ友に、サプライズプレゼントしちゃおうかな？喜んでくれるかな。

▲悪くないけど…

先方に知らせないで、いきなりお礼の品を送る。

◎感じのいい人

「こういう理由で、こういう品を送ります」と連絡してから送る。

事前に「こういう品を送ります」と、先方にお知らせしておく

お礼やお祝いの品を送るときは、あらかじめ「こういうものを送ります」とお知らせしましょう。社長秘書の方にお話をうかがうと、前触れもなく品物が届くと「突然何だろう」ととまどうそう。「こういう理由で、こういうものを」と、事前にお手紙などがあると、心構えができるそうです。

私の場合も、何も知らせずに実家に私の記事の載った本を送ったところ、「ただのカタログかと思って捨てちゃったよ」と言われたことがありました。お知らせしないと、そんな残念なことも。内容がわかっていれば、大事に扱ってもらえたはずです。

贈りものの内容は相手のことを考えて贈りたいですね。たとえば、ひとり暮らしの人に賞味期限の短いものを大量に贈っても迷惑になります。会社のつき合いなのに、個人で贈るのも、相手に負担感が出ます。ちなみに、**お祝いなどのお返しは、いただいた金品の半額程度で用意するのが一般的といわれます。まずは電話などでお礼を言って、１カ月以内くらいにお返しするとよいでしょう。**

CASE 39

身近な人に不幸があったとき

親友のDさんから、お母様が亡くなったという連絡が。そういえば、家族葬と言っていたので、ほかの人には知らせないほうがいいのかな。でも友人たちには知らせてもいいよね？

▲悪くないけど…

とりあえずみんな知っておいたほうがいいと思い、
友人みんなに連絡をまわす。

◎感じのいい人

友人たちに連絡するのは、知らせる範囲を
相手のご家族に確認してからにする。

どこまでお知らせするのか、相手のご家族に確認を

最近は家族葬が一般的になってきました。**相手のご不幸をどのあたりの知人・友人まで知らせていいのかは、先方に確認したほうがいいでしょう。**「家族葬なのに、突然いらっしゃる方がいてとまどった」という話も聞きます。

葬儀は宗教や形式の違いでマナーが変わります。相手のご家族にわざわざうかがうのは取り込み中のときに負担となるので、斎場の人に教えてもらい、それにのっとってのぞみましょう。

また高齢の家族の付き添いで行くときには、事前に先方にお知らせしておくとよいでしょう。

お通夜やお清めの席で久しぶりの友人と会うと、反射的に「わぁ」と盛り上がりがち。くれぐれも同窓会にならないように、**自分を律して、知っている人に会っても、手をふったりしないようにしましょう。**

葬儀のあとにご不幸を知ったときは、お悔やみの気持ちや思い出話などを手紙にしたためて、相手の家族に送って差し上げるとよいのではないでしょうか。

CASE 40

病院にお見舞いに行くとき

パート先の上司が入院。みんなでお見舞いに行くことになったけれど、お見舞いの品って何を持っていけばいいのかな。みんなで食べられるフルーツや、上司の好きなお花がいいのかしら。

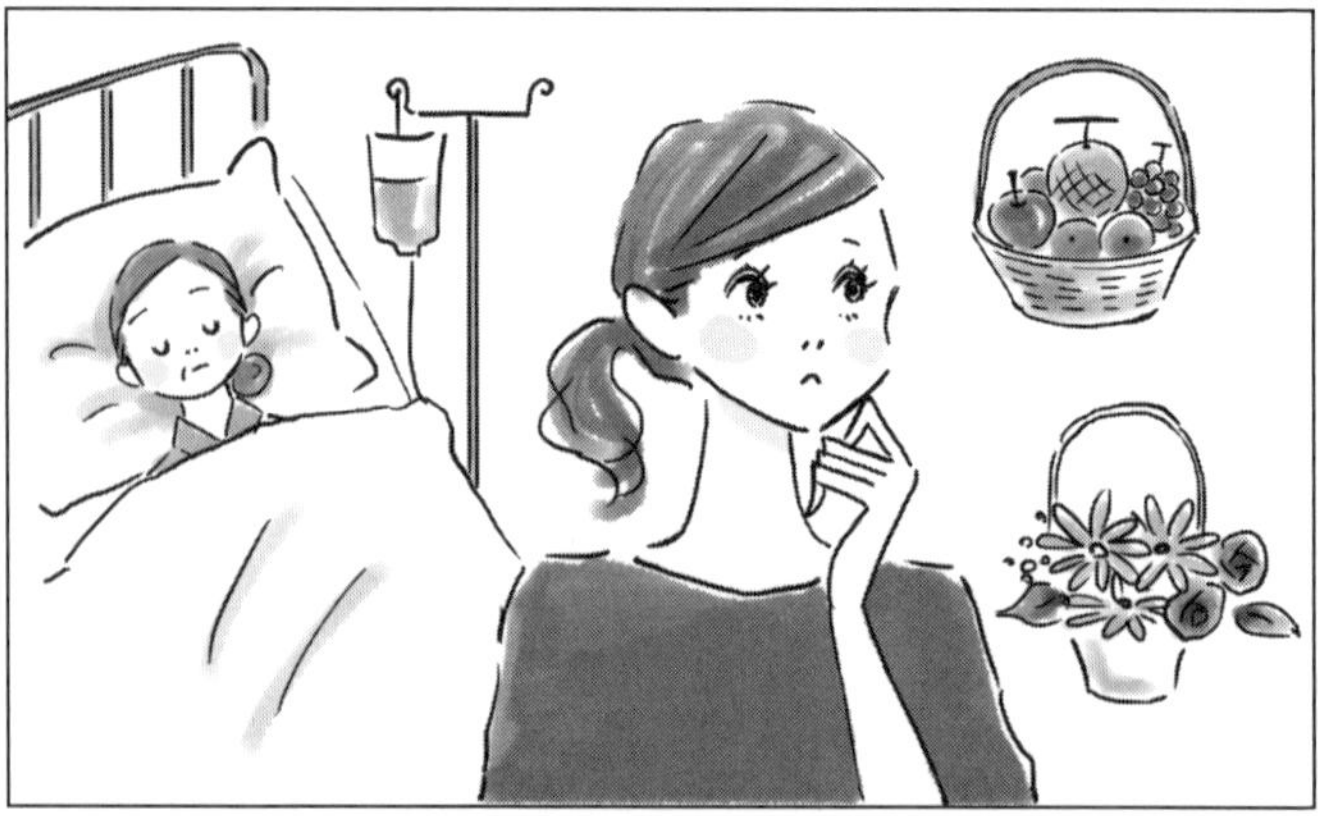

▲悪くないけど…

病室で、みんなで食べられるものを買っていく。

◎感じのいい人

病院に持ち込んでいいものを
確認してから品物を買う。

お見舞いの時間は最大でも15分

最近は、外からの持ち込みの品を制限している病院が多いようです。病室に持ち込んだ食べ物で食中毒を起こしたり、お花についている花粉や菌がアレルギー源や感染源になったりすることもあるからです。**何が禁止されているのかは病院によって違うので、お見舞いにうかがうときは事前に必ず確認するようにしましょう。**

もし持っていくなら、簡単に処分できるものや、冷蔵保存の必要がなくそのまま保存ができるものが、手間がかからなくてよいですね。

お見舞いの時間は最大でも15分くらい。寂しそうだからもうちょっといてあげたほうがいいのかなと思うかもしれませんが、相手は病人。人と会うことで、疲れさせているかもしれません。

お見舞いにうかがって15分くらいしたら、「疲れてない？」「またくるね」と言って失礼しましょう。**あまり長居をしては周りの患者さんにも迷惑になります。**

POINT

「冠婚葬祭などの場で」気遣いポイント

◆結婚式では、テンションを抑えて落ち着いて振舞う

◆出産のお祝いは相手が落ち着いた1カ月後くらいに

◆お礼・お祝いの品は事前に連絡してから送る

◆お通夜やお清めの席では自分を律する

◆お見舞いの品は持ち込み可能か事前に病院に確認する

第3章

知っていれば、
さらに感じがよくなる
気遣い豆知識

人と会う前にしておきたい準備

POINT

相手のことを調べておく
会話を決めておく
時間に余裕を持つ
背筋を伸ばして笑顔で
気持ちを落ち着かせる

大切な人に会うときもニュートラルな気持ちで

初めて会う人や、大切な人、尊敬する人と会うときは、「私のことを好きになってもらいたい」と、つい意気込んでしまいます。でも、その力みがかえって悪いほうに転じてしまうこともあるのです。

がんばりすぎると、そのときは楽しくてもあとでぐったり。次に会うのが億劫《おっくう》になってしまうかもしれません。

相手とこれからもいい関係を続けていきたいと思うなら、必要以上にがんばって盛り上げようとせずに、ニュートラルな気持ちでいることを心がけましょう。

落ち着いて相手と向き合うために、次のような準備をしておきましょう。

- 相手に関する情報を調べておく
- どんな会話をするのかをだいたい決めておく
- 時間に余裕を持ってその場に出かける
- 背筋を伸ばして、笑顔をチェック
- 深呼吸をして気持ちを落ち着かせる

身だしなみで心がけたいこと

POINT

清潔感を大切に
その場に違和感がないように
色や形に気をつける

「清潔感」「違和感」「色や形」に気をつけて

おしゃれは自分の好みでよいのですが、身だしなみはコミュニケーションする相手が判断します。感じのいい人だと思われたいなら、身だしなみに気をつけましょう。

・**清潔感がある**　とくに気をつけたいのが指先とつま先。指先のささくれが目立っていないか、爪の間に汚れがないかチェックを。靴は、つま先はもちろん、かかとが汚れていないかにも気を配りましょう。靴を脱いだときのインソールの汚れも、意外に見ている人がいます。

・**違和感がない**　その場に違和感のないよそおいをしましょう。仕事の場なら、業種や職種によっても違うでしょう。ママ友との気軽な食事会、夫の会社の夫婦同伴の集まりなど、集まる相手によって、その場にふさわしい服装も変わります。

・**色や形に気をつける**　たとえば、ゆれる大きなイヤリングをしていると、そこに目がいって、話が頭に入ってこないことがあります。おしゃれをするのがメインの場ならよいのですが、大事な、深刻な話をする場で突出したものを身につけていると、相手に違和感を抱かせます。

「感じがいい」と思われる表情

POINT

スタンバイスマイルを心がける
「いつでも私に声をかけて」という
メッセージを周囲に伝える

笑顔と真顔のギャップに注意！

たとえば、お茶を出すとき。相手に笑顔で接したあとで、すぐに真顔に戻ると、いかにも嘘っぽいですね。いわゆる「営業スマイル」。無理してやらされているような印象になります。

ＣＡ時代に気をつけていたことが、接客のあと、３秒間くらいかけて歩きながら、徐々に笑顔をスタンバイスマイル（笑顔の手前）に戻すことでした。

真顔だと口角が下がるので、ちょっと不機嫌に見えます。笑顔と真顔のギャップが激しいと、笑顔も相手に疑われてしまうので、**人と接していないときも、なるべく真顔ではなくスタンバイスマイルを心がけましょう。**

スタンバイスマイルは、口を軽く閉じ、口角を横に引き、５ミリくらいあげるイメージ。スタンバイスマイルをしていれば、「いつでも私に声をかけてください」というメッセージを周囲に伝えることができます。

気をつけたい立ち居振舞い

POINT

話しかけられたら手を止めて、
鼻、心臓、つま先を相手に向ける

話を聞くときは、ながら動作で答えない

ハイリー・センシティブ・パーソン（HSP）という、人より感受性が強いタイプ、気質の方がいます。エレイン・N・アーロン博士によると、約2割がこのタイプと言われています。あなたのちょっとした立ち居振舞いが、相手に「自分が悪かったのかな」と思わせてしまっているかもしれません。繊細な印象がある人には、とくに振舞いで誤解を与えないよう気をつけたいですね。

話しかけられたときに、「PCに向いたまま……」「テレビを見ながら……」で顔も向けずに返事をしてしまうと、面倒くさくて片手間で相手をしているように見えてしまいます。そういうつもりはなくても、これでは感じがよいとはいえません。相手は、もう話しかけるのがいやになってしまうかもしれません。

相手に話しかけられたときは、まず手を止めましょう。相手に心臓を向けると顔全体が向きます。鼻、心臓、つま先が相手に向くことを「正対」と言い、ウェルカムな気持ちがより伝わります。

自分では気づきにくい「におい」の注意点

POINT

口臭、香水……においは相手に与えるダメージが大きい。一度チェックしてみよう！

相手にダメージを与える「スメハラ」に注意！

最近は「スメハラ（スメルハラスメント）」という言葉もあり、においは気をつけたい身だしなみのひとつになっています。いくら相手から不快なにおいがしても、なかなか直接注意することはできません。他人は指摘しづらいのです。誰にも注意されないからといって、OKではないのだと思っておいてください。

「あの人と一対一で打ち合わせ。口臭がきつくて話すのがつらい」「隣の机の人、香水がきつすぎる。頭が痛くなってくるよ……」というように、**においは相手に与えるダメージが大きく、精神的にも身体的にも影響があります。**

自分のにおいは、自分だとわからないところもあるので、思い切って家族に聞いてみましょう。口臭のほとんどが、虫歯や歯周病が原因で、歯科医院に行くとよくなるといわれます。

最近は柔軟剤の香りもきついものがあります。洗剤の香りも一度チェックしてみてはいかがでしょう。

気持ちが伝わるお辞儀の作法

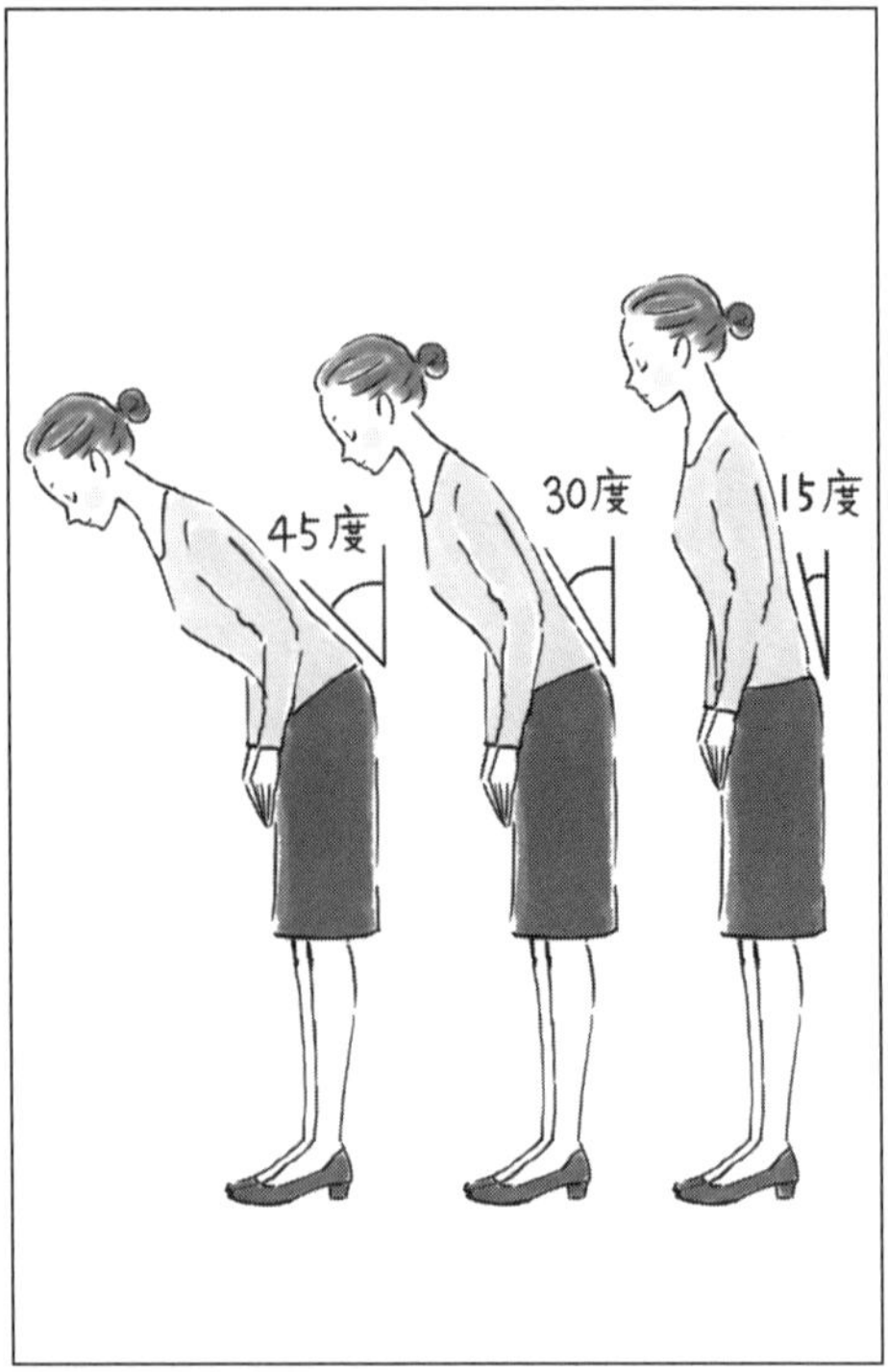

POINT

会　釈	上体を15度倒す
敬　礼	上体を30度倒す
最敬礼	上体を45度倒す

見えないところでもお辞儀はしっかりと

たとえ人が見ていなくても、お辞儀は大切です。

たとえば電話をしているとき、お辞儀をするのとしないのとでは、気持ちの伝わり方がまったく違います。相手にはお辞儀が見えませんが、お辞儀をすることで本当の気持ちが声にのって伝わるのです。

場面に合わせてメリハリのあるお辞儀をすることで、より気持ちも相手に届きやすいものです。お辞儀をおろそかにしないようにしましょう。

お辞儀には次の3種類があります。シチュエーションによってこれらのお辞儀を使い分けましょう。角度はあくまでも目安で、気持ちを込めることが優先です。

① **会釈**……ご近所さんに往来で会ったときなどにする軽いお辞儀。背筋を伸ばして、腰を起点にして、上体を15度倒す。
② **敬礼**……来客を迎えるときなど、対面でする日常のお辞儀。上体を30度倒す。
③ **最敬礼**……感謝や謝罪のときなどにする深いお辞儀。上体を45度倒す。

ちょっとした約束を守る

POINT

小さい約束を守るほど信頼度がアップする
果たせないときはすぐに連絡すると誠実な印象を与える

小さい約束を忘れずに守ると好感度があがる！

忘れても問題のない、小さなお願いやささいな約束を忘れないでいると、あなたへの好感度があがります。

たとえば、「このあいだ借りた１００円お返しするね」もそう。小銭だと忘れがちですが、こういう小さいことほど差がつきます。「きちんとしている人だな」と、信頼感が増します。

以前、上司に「ちょっと調べてみます、という雑談の延長のような内容であっても、早くお客様に回答しなさい」と指導されました。相手も忘れてしまうようなささいなことでも、その場でつぶやいたら絶対に約束は守りなさいということです。

また、小さな約束でも果たせないときは、すぐに連絡すると相手に誠実な印象を与えます。

大きな約束は誰もが絶対守りますが、小さな約束は放置しやすいもの。そういうことほど忘れずに守れば、よい印象として残るというわけです。

場の空気を読む

POINT

気遣いのできる人＝その場がどんな場か考えて、みんなが気持ちよくいられるように行動できる人

その場がどんな目的の場か考える

「この漢字間違っているよ」と、大勢の前で指摘したとしたらどうでしょう。これでは、相手が人前で恥をかきます。

多少の間違いがあってもすぐに影響が出ないときは、メモをさっと渡して間違っているところを知らせるくらいでよいと思います。

以前、知人が懐石料理の食事会をしたときの話です。「お椀はここにおくんだよ」と、知人が食事のマナーの間違いを指摘しました。しかし、注意された人は、「えっ」と顔色が変わってしまったので、少し気まずい空気になってしまったそうです。

親切心から教えてあげたことだと思います。ただ、楽しい食事の場なら、あえて言わないほうがいい場合もあります。

その場がどんな目的の場なのか考えると、口から思わず出てしまいそうなこともストップできると思います。

質問の質を高める

POINT

もっと知りたいという気持ちを大切に
その人の考えや個性を引き出す質問をする

「あなたに興味があります！」という気持ちが見える質問をする

誰かとコミュニケーションするときは、自分の聞きたいことだけを聞くよりは、「相手のことをもっと知りたい」という気持ちを大切にしましょう。そうすれば、相手もこちらに好感を持ってくれます。

たとえば、「そのバッグ、どこで買ったんですか？」「お値段は高いんですか？」だと、自分が聞き出したい情報ばかりを聞いているような印象です。

でも、「お洋服とマッチしていて素敵ですね。もしかしたらファッション関係のお仕事ですか？」「ほかにあまりないデザインで、よくお似合いですね。こだわりがあるんですか？」と聞けば、その人の考えや個性を引き出すような質問になります。

相手のこだわっていそうなことなら、相手もずっと話しやすいでしょう。

その人自身を知りたいという気持ちを大切にして、コミュニケーションができるとよいですね。

おわりに

感じのいい人に会うと、心が温かくなったり、ホッとしたりします。

こちらが、ちょっと疲れがたまっているときなどは、特に気分が切り替わって、「あっ！　私ちょっとイライラしていたかもしれない」と気づかされたりします。また慣れない場所や集まりでも、感じがいい人がいるとホッとさせられ、「あの人がいてくれて、よかった！」とありがたく感じることもあります。

自分が何かをお願いされるとき、あるいは、自分がお願いしたいことが断られるときなど、こちらの立場を考えて、感じのいい言葉で伝えてくれる人がいます。人として大事にされているのを感じ、いやな思いをしたり傷ついたりすることはありません。

幸せの基準は人それぞれです。ある人にとっては、旅行に行ったり豪華な食事をしたりするときに幸せを感じることもあるでしょう。ただ、お金がかかることはそう頻繁には実現が難しかったり、時間を合わせたりするのが大変だったり、それが終わってしまうとちょっと寂しくなったりするかもしれません。

しかし、日常のなかの小さな幸せは、見つけようと思えばきっとたくさんあって、それを探すことはちょっとした宝探しのような気分だったりします。相手からもらった温かな心からの言葉、配慮、ほんのひと手間。そんなプレゼントを見つけて自分もやってみると、周りにも幸せを感じてもらえたり、自分に対して自信を持つことにもつながったりして気持ちに余裕も出てきます。

見返りを求めることを目的に行なうわけではなくても、相手の立場に立って振舞うことは、まわりまわって、結果的に恩恵があることも多いものです。

感じよくすることは、決して自分を押し殺して相手に接することではないと考えています。むしろ、相手にとって大事なものを大切にし、相手に誠実に向き合いながらも自分らしさを出すことにつながると信じています。それは、ほんのささいなことの積み重ね。基本的には、お金も大げさな手間も時間もかかりません。

この本が、あなたが幸せを感じることに、少しでもお役に立てたら私は幸せです。

三上ナナエ

〈著者略歴〉
三上ナナエ（みかみ・ななえ）
OA機器販売会社を経て、ANA（全日本空輸）に客室乗務員（CA）として入社。チーフパーサー、グループリーダーなどを経験し後輩指導にも当たる。ANA退社後、2005年よりセミナー講師として独立。独自の切り口で行なう接客・接遇・コミュニケーション向上セミナー、ビジネスマナー研修などは、官公庁や商社など多数で採用され、受講者は14,000人以上、年間80回以上の企業研修を行なう。著書に、『仕事も人間関係もうまくいく「気遣い」のキホン』（すばる舎）など。

すぐに使える！
「感じのいい女性」が使っている気遣いの魔法

2020年2月4日　第1版第1刷発行

著　者　三上ナナエ
発行者　櫛原吉男
発行所　株式会社PHP研究所
京都本部　〒601-8411　京都市南区西九条北ノ内町11
〔内容のお問い合わせは〕教育出版部 ☎075-681-8732（編集）
〔購入のお問い合わせは〕普及グループ ☎075-681-8554（販売）
印刷所　株式会社光邦
製本所　東京美術紙工協業組合

ISBN978-4-569-84612-5